Piscis Predicciones y Rituales 2024

Angeline Rubi y Alina A. Rubi

Publicado Independientemente

Astróloga: Alina A. Rubi

Edición: Alina Rubi y Angeline Rubi

rubiediciones29@gmail.com

¿Quién es Piscis?

Fechas: 19 de febrero - 20 de marzo

Día: jueves

Colores: Verde mar, azul y violeta.

Elemento: Agua

Compatibilidad: Cáncer, Escorpión, Tauro, Virgo

Símbolo: ♓

Modalidad: Mutable

Polaridad: Femenina

Planeta regente: Neptuno y Júpiter

Casa: 12

Metal: Níquel

Cuarzo: Amatista lapislázuli,

Constelación: Piscis

Personalidad de Piscis

Piscis tiene una personalidad tranquila, paciente y amable. Son sensibles a los sentimientos de los demás y responden con simpatía y tacto al sufrimiento de los demás. Son muy queridos porque tienen un carácter afable, cariñoso y amable, y no son una amenaza para los que quieren tener puestos de autoridad o mayor popularidad. Suelen asumir su entorno y sus circunstancias, y no suelen tomar la iniciativa para resolver problemas. Les preocupan más los problemas de otros que los suyos.

Tienden a existir de forma emocional más que de forma racional, de forma instintiva más que de forma intelectual. No les gusta sentirse confinados y no respetan las convenciones así por las buenas. Pero tampoco tienen la energía o la motivación para luchar contra el poder establecido.

Necesitan muchísimo de la soledad, de estar un rato con ellos mismos, de divagar interiormente en un sin fin de posibilidades que ni ellos mismos logran ver y sentir, pero no les importa. Brilla en ambientes de creatividad.

La riqueza material, el estatus social, poder y liderazgo no significan nada para un pisciano. Esto no quiere decir que no reconozca el valor de los bienes materiales, pero no vive en función de lo que tiene o deja de tener. Tampoco clasifica a alguien por su posición social o por aquello que aparenta o no tener. Es tan gentil y solícito para un mendigo en la calle como para un jefe. Para él, lo que importa es el respeto que la persona que tiene frente a él merece.

Generalmente son artistas, músicos, pintores, pueden ser divagantes, chispeantes y muy cómicos si se encuentran en un ambiente que los hace sentir bien. En cambio, pueden ser brutos, huraños e indiferentes si detectan mala energía y no se sienten cómodos. Se representan con dos pescados, uno que va y otro que viene.

Con su aguda sensibilidad, cuando visita un enfermo sabe en su interior si sanará o no. Si el pronóstico es negativo, no lo dice y sufre, y eso es parte de su naturaleza. Su extrema sensibilidad y la necesidad de escapar a sentimientos dolorosos puede llevarlos a evitar la realidad y a refugiarse en su mundo de fantasía.

Les gusta viajar, y también disfrutan de estar en su casa solos, sin que nadie les diga lo que deben hacer.

Horóscopo General de Piscis

Si quieres realizar un cambio radical en tu vida, establecerte por tu cuenta o en forma independiente, y reafirmar tu individualidad, éste es el año para hacerlo.

La influencia de los planetas te volverá intrépido y valiente, pero también te hacen propenso a accidentes. Todos los accidentes serán producto de tus acciones precipitadas o impulsivas, ya que tu deseo será aventurarte sin tener en cuenta las consecuencias, o los pro y los contras que puedan aparecer en el camino.

Los demás tenderán a calificarte de egoísta o egocéntrico lo cual no siempre será errado, ya que tu interés estará más centrado en tus asuntos que en los de los demás. Además, te mostrarás mucho más autoritario que antes, y tenderás a imponer tus opiniones.

Este es un año apto para lograr los objetivos que te propongas. Serás muy constante y mostrarás mucha autoridad para imponer tus ideas. Tus ambiciones serán fuertes y precisas, y no le darás lugar a los miedos, ni a la inseguridad.

Es importante que utilices tu discernimiento y selecciones entre tus metas cuáles son las principales y cuáles las secundarias. El orden, el método, la organización y el trabajo constante son las palabras claves para tener éxito durante este año.

Es probable que también surjan problemas difíciles de resolver, adversarios que representen un desafío para tu capacidad, o que tengas que lidiar con jefes o personas con autoridad que no sean tan lógicos y que representen un obstáculo para tu vida.

El destino pondrá a prueba tu tenacidad y confianza. El éxito no será gracias a la suerte, sino a tu trabajo constante.

En tu hogar puedes encontrar un clima afectivo que te servirá de apoyo. No dejes que tus ambiciones y asuntos materiales enfríen tu parte emocional.

Neptuno, permanecerá en tu signo durante todo el 2024, amplificando la energía natural de Piscis, haciéndote más intuitivo, espiritual, imaginativo, compasivo, empático y creativo. Saturno también estará en tu signo durante todo el 2024, restringiendo parte de esta energía, queriendo que estés más centrado y en control.

Tendrás más responsabilidades en el 2024 gracias a Saturno, y esto puede parecer limitante y sofocante a veces, es posible que tengas algunas lecciones que aprender, que te ayuden a crecer de nuevas formas.

Durante los periodos de Luna nueva tendrás oportunidades para tomar la iniciativa de ir por lo que quieres. Asegúrate de ser disciplinado y no apresurarte con Saturno al mismo tiempo que escuchas tu intuición con Neptuno.

Los Eclipses de Luna puede serán momentos finales. Puede haber un gran final de algún tipo, algo en lo que has estado trabajando durante algún tiempo y estás listo para terminar, o puedes deshacerte o dejar ir algo importante que te ha estado frenando o agobiando.

Puedes ver los resultados de tu trabajo, y esto significa que serás recompensado si has hecho las cosas de la manera correcta y por las razones correctas, o puedes tener algunos contratiempos si necesitas cambiar tu enfoque. Tus emociones pueden ser fuertes y profundas, y es probable que necesites prestar más atención a tus deseos y necesidades.

Piscis el 2024 te trae muchos cambios positivos, es un período en el que estarás avanzando y vas a tener la oportunidad de ejercer todo tu potencial a lo largo del año gracias a las vibraciones positivas a tu alrededor. Este año marca el comienzo de una nueva vida para Piscis.

El trabajo duro y la dedicación te permitirán terminar el año con éxito.

Concéntrate en el futuro y aprovecha cualquier oportunidad que se te presente este año. Evita las preocupaciones y ansiedades que podrían desgastarte. Canaliza tu energía hacia áreas positivas y logra el equilibrio en tu vida.

Amor

Este año estará lleno de aventuras, compromisos emocionales y responsabilidades que pueden revelar un lado diferente de tu personalidad. Es posible que te sientas abrumado por los acontecimientos que suceden a tu alrededor, pero con el tiempo te adaptarás al ritmo de la vida.

Tus perspectivas sobre las relaciones, el equilibrio entre el trabajo y la vida personal, pueden cambiar significativamente, porque estás entrando en una nueva fase de tu vida.

Durante los periodos de Luna llena te tomarás más en serio tus compromisos. Es posible que estes más comprometido emocionalmente. Si sientes que no tienes una buena conexión con alguien, es posible que sientas la necesidad de alejarte por completo.

Durante los periodos de Luna nueva ocurre en tu sector amoroso el 5 de julio, le darás la bienvenida a más amor a tu vida. Puedes pasar más tiempo con las personas que amas y compartir el amor que sientes. Si estás en una relación, puedes traer más romance. Si eres soltero, puedes llamar mucho la atención y disfrutar divirtiéndote.

Durante los periodos de Mercurio retrógrado cualquier problema existente en las relaciones puede empeorar.

Si estás soltero la mayor parte de tu atención se enfocará en tu crecimiento como persona, lo que significa que no estarás tan interesado en encontrar a tu alma gemela durante el 2024.

Este podría ser el año donde comiences a salir con varias personas a la vez para compararlas entre sí. No hay nada de malo en este comportamiento, pero asegúrate de no cometer un error para que no envíes un mensaje de texto a la persona equivocada o vayas a el lugar equivocado en el momento equivocado.

Si tienes pareja pueden surgir problemas de comunicación, por lo que es vital expresar tus sentimientos con honestidad. Además, las viejas heridas y las emociones no resueltas pueden resurgir, desafiándote a enfrentarlas y sanarlas. Recuerda, que estos desafíos son oportunidades de crecimiento, y solo harán que tu amor sea más fuerte.

A medida que avanza el año, prepárate para algunos eventos inesperados en tu vida amorosa. Es posible que se reavive un viejo amor o que te cruces con alguien que sientas que ha salido de tus sueños. Abraza estos encuentros con el corazón abierto, ya que tienen el potencial de cambiar tu vida amorosa de forma notable.

Economía

Este año 2024 es un viaje a las mareas de la prosperidad porque tu atención será en el área monetaria. Este año te promete olas de oportunidades, tu creatividad innata y tu naturaleza intuitiva te servirán como activos valiosos en el mundo financiero. Tus ideas innovadoras pueden dar lugar a flujos de ingresos inesperados, y las inversiones realizadas con organización pueden producirte grandes ganancias.

Sin embargo, es posible que te encuentres con gastos inesperados o contratiempos financieros. Es esencial que tengas un presupuesto y ahorres para los días malos. Debes ser cuidadoso con los negocios arriesgados y recordar que no todas las oportunidades son tan prometedoras como parecen.

Mantente alejado de los gastos impulsivos y apégate a un plan financiero. Tu intuición puede ayudarte a tomar decisiones financieras, pero también podría llevarte a compras impulsivas motivadas por tus emociones. Es esencial que logres un equilibrio entre tu corazón y tu billetera. Reflexiona antes de hacer compromisos financieros significativos.

Considera la posibilidad de destinar recursos a tu desarrollo personal, invertir en tu educación podría conducirte a un crecimiento financiero a largo plazo.

Este podría ser el año en el que aprender una nueva habilidad sea muy provechoso, ya sea aumentando tu potencial económico o abriéndote a nuevas trayectorias profesionales.

Durante los periodos de Luna llena verás los resultados del trabajo que has realizado y trabajarás para eliminar los bloqueos que te han impedido avanzar y eliminarás cualquier problema que se haya interpuesto en tu camino.

Durante los periodos de Mercurio retrogrado tendrás mucha energía y enfoque que te permitirá traer la abundancia de vuelta a tu vida. También puedes reiniciar proyectos laborales o retomar un proyecto antiguo en el que no llegaste a trabajar.

Es importante que hagas un trabajo en el que estés emocionalmente involucrado, que te apasione, que disfrutes y que te satisfaga, de lo contrario, este puede ser un año bastante desafiante a nivel profesional. Si no tienes eso, es probable el año 2024 te obligará a hacer un cambio.

La Salud de Piscis

En el 2024, las estrellas se alinean para proporcionarte mucha energía y vitalidad, lo que te permitirá tener una buena salud y también mucho entusiasmo.

Este es un año excelente para establezcas una rutina de ejercicios que se adapte a tus preferencias. Una dieta equilibrada y mantenerte hidratado aumentarán aún más tu bienestar. El cuidado personal debe ser tu prioridad.

Debes controlar el estrés y las fluctuaciones emocionales, tu carácter empático puede conducirte al agotamiento emocional, por lo que debes establecer límites.

El exceso de trabajo puede afectar tu salud, así que asegúrate de tener descansos y vacaciones regulares para que puedas recargar tus energías. Prioriza dormir lo suficiente, y explorar prácticas holísticas.

Puedes tener problemas con el sistema digestivo y aumentar de peso.

Familia

Este año promete una mezcla de amor, crecimiento y desafíos en tu vida familiar, brindándote oportunidades para superar los obstáculos.

Llegará a tu núcleo familiar una persona que refrescará el ambiente, traerá esa energía que todos necesitan. Su enfoque será exactamente opuesto al tuyo, pero traerá armonía y conexión dentro de tu familia.

Tu compasión natural y tu naturaleza empática brillarán, convirtiéndote en el pacificador de los desacuerdos familiares.

Sin embargo, prepárate para algunos desacuerdos o malentendidos. Tu naturaleza empática te puede llevar a absorber las cargas emocionales de los demás, lo que puede afectar tu bienestar. Establecer límites y una comunicación abierta son clave para superar estos desafíos y mantener la armonía familiar.

Considera participar en actividades compartidas para fortalecer la unidad de tu familia. Acepta el cambio como una oportunidad para una transformación positiva dentro de tu hogar, fomentando un ambiente de comprensión.

Debes prioriza el tiempo de calidad con tus seres queridos. Desconéctate de las distracciones.

Fechas Importantes

02/19 El Sol entra en Piscis

02/23 Mercurio entra en Piscis.

02/28 El Sol en conjunción a Saturno en Piscis.

03/10 Luna Nueva en Piscis

03/17 El Sol en conjunción a Neptuno en Piscis.

03/22 Marte entra en Piscis.

06/29 Saturno Retrogrado en Piscis

07/02- Neptuno retrogrado en Piscis

09/18- Luna Llena y Eclipse Parcial Lunar en Piscis.

11/15 Saturno directo en Piscis

12/07 Saturno directo en Piscis.

Horóscopos Mensuales de Piscis 2024

Enero 2024

Este mes necesitas tranquilizarte, probablemente estés comenzando a presentar signos de desesperación, ya que hay un tema económico que no has podido solucionar.

Si no tienes pareja, la llegada del amor marca una serie de retos. El primero de ellos es que debes programar tu tiempo y espacio según los de otra persona, comienza a conocerla para que lo hagas bien.

Recuerda que cuando las obligaciones fallan, es tiempo de explorar nuestras pasiones. Si lo que haces por obligación no acaba de ser beneficioso, este es el mes para plantearse cambiar de rumbo, y hacer de tus pasatiempo el material de tus ingresos.

Esa pequeña molestia que has sentido no debe dejarte en la cama. El movimiento y la acción van a acabar con esos síntomas imaginarios. No te vuelvas hipocondríaco, tome en el control de toda tu vida.

Siempre será una buena opción el aceptar las cosas que te digan los demás como algo positivo, no siempre todo el mundo busca atacarte.

Números de la suerte

1 - 3 - 25 - 29 - 34

Febrero 2024

Eres un amigo excelente, y te enorgulleces de ayudar a las personas a tu alrededor. Este mes debes involucrarte en una causa humanitaria o dedicar un poco de tu tiempo a la comunidad. Es momento de utilizar tus ideas para ayudar a otras personas.

Los temas más importantes del mes son el trabajo, la salud, el dinero. Un problema económico importante volverá, evita situaciones de riesgo personal.

Si tienes pareja, te sentirás inseguro, porque a pesar de sentirte feliz, no estarás seguro de estar viviendo lo que tú quieres para ti. Lo malo es que no sabes lo que realmente deseas, así es que no tomes decisiones importantes, deja que termine el mes.

Si estás solo, podrías enamorarte de una persona a través de las redes sociales.

Una persona te hará pasar un mal momento, ya que tomarás una acción suya como una traición. Debes intentar hablar con esa persona y pedirle explicaciones. Afortunadamente, lograran aclarar las cosas. Sin embargo, deberán hacer cambios en la relación para superar este malentendido. Los planetas te aconsejan que la transformación sea radical porque, de lo contrario, no será efectiva.

Números de la suerte

1 - 2 - 12 - 13 - 23

Marzo 2024

Este mes es acerca de los desafíos a los que el Universo nos lleva con fuerza. Estos retos pueden ser útiles cuando se trata de hacer dinero. Tu cerebro está elaborando materiales muy creativos. Conviértelo en algo tangible y ponte a venderlo que obtengas el máximo beneficio.

Tendrás la tentación de hacer gastos extras que no están dentro de tu presupuesto. Debe pensar antes de hacer una inversión en algo que no necesitas. No es necesario que compres regalos costosos para agradar a una persona que quieres conquistar, si es alguien que te corresponde solo actúa de forma natural.

No dejes que la vida te robe el tiempo, prepárate para el futuro, ya que vienen cosas buenas, pero deberás esforzarte.

Si tienes pareja no debes permitir que se desaten conflictos, respeta las opiniones de la persona que está a tu lado, tiene derecho a expresar sus ideas, temores y pensamientos. no trates de controlar sus decisiones, dale el espacio que necesita.

Una persona del pasado regresará y te hará dudar de la relación que tienes en la actualidad.

Números de la suerte

17 - 18 - 22 - 23 - 26

Abril 2024

Hay una ola de rencor entre tú y tu pareja. Hay cosas no expresadas que les hacen daño, y con las que no han sabido lidiar. Este es un mes perfecto para que lo hagas, para que puedan resolver ese conflicto.

Si estás solo necesitas más amigos, antes que un amor. Tu autoestima no es saludable. Una red de apoyo te ayudará a poner en orden tus sentimientos sobre el pasado. Mereces el amor.

En el trabajo tienes arriesgarte, el anonimato no te ha permitido demostrar lo mucho que vales. De manera que termina hoy con esa falsa humildad, y da un paso al frente para demostrar tu capacidad.

No le prestes atención a tu costumbre de querer encontrarle una explicación a todo. Algo cambiará dentro de ti, en la forma tuya de reaccionar ante los obstáculos.

Comienza a hacer espacio para unas vacaciones más adelante, es probable que quieras hacer un viaje con amigos y debas organizar todo desde este mes.

No esperes que las cosas pasen sin tu no les da un empujón.

Números de la suerte
8 - 17 - 29 - 33 - 36

Mayo 2024

El trabajo mejorará, todo lo que estaba paralizado, se desbloquea y empiezas a desarrollar tus proyectos. Trabajarás mucho y tendrás competencia. Tendrás que aprender buscarte un lugar en tu profesión.

Te llegarán ofertas de trabajo interesantes, pero no te precipites a la hora de elegir. Analiza bien cada propuesta. Económicamente te irá bien. Estás en una buena etapa y el dinero entrará con mucha facilidad a tu cuenta de banco.

Querrás invertir, porque te sentirás fuerte, debes ser precavido y asesorarte antes de invertir. Tendrás suerte en los juegos de azar y en las inversiones. Aprovecha para eliminar las deudas. Si eres asalariado, podrían subirte el sueldo.

Tu ritmo de vida y la complicidad que mantienes con tu pareja, mejorarán tu calidad de vida en la relación. Si estás soltero, es un buen momento para el amor. Este mes podrías conocer a alguien de quien te enamores y cambie tu vida.

Estás dándole poco crédito a las personas que te han ayudado en tu camino, debes comenzar a agradecer a esas personas.

Números de la suerte
1 - 5 - 6 - 7 - 10

Junio 2024

Si estás soltero, el amor te sonreirá de nuevo. Podrías encontrar el amor y tener pareja. Te relacionarás muchísimo por el trabajo y también con tus amigos. Ahora es el momento de salir y compartir.

Seguirás con tu ritmo habitual de trabajo. Trabajarás con deseos, y tendrás clientes nuevos o contactos para hacer negocios nuevos.

Tu economía irá bien, el dinero fluirá en tu vida, pero tendrás que buscar los clientes o los negocios lejos de tu entorno habitual. No tengas pereza, porque merecerá la pena.

Tu salud será buena, pero debes cuidarte, para ir optimizando tus fuerzas. Descansa, relájate, haz ejercicios y cuida tu alimentación. Si quieres perder peso, es el momento ideal para hacer una dieta.

En el caso, que no tengas que perder peso, es el momento idóneo, para depurar tu organismo.

Tu familia necesitará tus consejos. Aparecerán oportunidades en sus vidas, sin duda serán buenas oportunidades.

Números de la suerte
3 - 7 - 8 - 24 – 34

Julio 2024

Cuida más de tu alimentación.

Hay personas que inventan problemas cuando no están interesadas en nosotros, no dejes que te pase esto con una persona que conoces hace poco tiempo, no le concedas el poder de tratarte mal.

Si estás pasando por un momento que consideras de mala suerte, es bueno que hagas cosas que te demuestren lo contrario, es probable que sea una idea que esté solo en tu cabeza y que necesites ponerles más deseos a las cosas que diariamente.

El amor es un tema importante este mes. Si estás casado, estás obligado a corregir todos los errores, que has estado cometiendo. Algunos van a romper la relación, pero otros la arreglarán. Si estás soltero, no conocerás a nadie este mes. Seguirás estando sin pareja y disfrutando con tus amigos.

Si tienes trabajo, realizarás cambios dentro de tu puesto actual, porque surgirán problemas. Cuidado con la forma de relacionarte con tus colegas. Podrían surgir fuertes conflictos.

Si no tienes trabajo surgirán nuevas oportunidades y podrás empezar en una nueva empresa.

Números de la suerte

11 - 19 - 21 - 23 - 33

Agosto 2024

El dinero es importante este mes, tendrás que realizar cambios porque tendrás problemas de dinero y te verás obligado a cambiar la organización de tus finanzas. La parte positiva, es que podrás corregir los defectos.

Tu salud estará bien, pero tu imagen será caótica. Te darás cuenta, que necesitas mejorar tu aspecto físico y comenzarás una dieta. Cambiarás el estilo de tu vida, para incorporar ejercicios diarios, un horario normal y las horas de sueño necesarias. Este cambio favorecerá tu salud, ya que limpiarás tu organismo y te sentirás más dinámico. Necesitas ofrecer otra imagen a los demás, para que luzcas más atractivo.

Tu familia estará bien, te apoyarán y en tu casa encontrarás un lugar donde descansar.

Te van a pedir con una mirada, que permanezcas callado en una situación. Se trata de algo que es importante para alguien a quien amas y probablemente te moleste porque detestas las intrigas. Sin embargo, esta vez tiene que hacer una excepción.

Números de la suerte
1 - 5 - 10 - 23 - 35

Septiembre 2024

Este mes será próspero, pero en el amor te irá regular. Si tienes pareja vivirás un mes conflictivo con inestabilidad, peleas y replanteamientos de continuidad. Si estás soltero, no te sentirás muy inclinado a buscar pareja. Estarás enfocado en otros temas y mostrarás desinterés por el sexo opuesto.

El consejo de los planetas es que dejes para el mes próximo los temas más importantes y que trabajes lentamente. No te arriesgues con nada este mes, porque podrían surgir problemas innecesarios. Prioriza tu agenda y todo irá bien.

Lo inteligente es que hagas algunos cambios para que tu economía sea estable y te sientas seguro. Una vez que realices dichos cambios, evolucionarás espectacularmente.

Te sentirás bien y podrás hacerle frente a todo. Sólo ten mucho cuidado cuando conduzcas, para que evites posibles accidentes de coche.

Tienes la posibilidad de explorar muchos mundos en este momento antes de decidir dónde quieres quedarte y comenzar a hacer tu vida.

Números de la suerte
9 - 24 - 25 - 30 - 32

Octubre 2024

Si estás en pareja, será un mes duro. Habrá tensiones y los problemas que surgirán producirán divergencias, y disparidad de opiniones. Si eres soltero, conocerás a alguien tan espiritual como tú.

Los amigos y la diversión estarán limitados a tu círculo íntimo de amistades. Harás muchas reuniones de amigos, porque ambicionarás intercambiar ideas.

Es un buen momento para ahorrar, porque este mes ganarás más dinero del habitual y podrás hacer cosas que tenías pendientes y darte ciertos lujos.

El dinero y la espiritualidad van de la mano. cuanto más te sumerjas en la espiritualidad, mejor estarás. Si quieres invertir, hazlo y escucha tu intuición.

Tu salud será buena, excepto a final del mes. Es un buen momento para ponerte en forma.

Tendrás sueños cargados de información. Anota lo que has soñado, antes de que se te olvide.

Una buena noticia para quienes esperan que se les pague un dinero adeudado, su dinero por fin llegará a sus manos.

Números de la suerte

1 - 2 - 17 - 24 – 30

Noviembre 2024

Este mes habrá inestabilidad en el amor. Tu relación de pareja será fría. Seguirán haciendo su vida en paralelo. Si están solteros, seguirán estándolo, aunque saldrán con amigos y se divertirán.

A nivel familiar tendrás muchas comidas y reuniones familiares. Habrá buena comunicación con tus amigos, y te sentirás apoyado por ellos. Es ahí donde encontrarás tu equilibrio emocional.

En el trabajo, tendrás inestabilidad, y podría pasarle algo a algún colega.

Si tienes tu propio negocio, temerás por el futuro de este. Algún amigo podría proponerte montar un negocio.

A finales del mes tu economía será fantástica. La prosperidad te acompaña y el dinero no te faltará. Podrán darse esos muchos lujos y, además, planificar su futuro.

Es el momento donde podrías ganar algún dinero en la lotería.

Números de la suerte
2 - 6 - 15 - 28 - 31

Diciembre 2024

El amor será excelente este último mes del año. Si estas soltero repentinamente aparecerá el amor de tu vida ante tus ojos. Si tienes pareja, tendrás que decidir con quien te quedas y si estás soltero, será más fácil. Esta persona te impactará, la atracción sexual entre ustedes y la conexión intelectual, espiritual serán fuertes.

La vida social será activa, pero el trabajo será lo más importante del mes ya que progresarás profesionalmente y te sentirás orgulloso de ti mismo.

Si estás trabajando tendrás suerte y éxito en todo lo que hagas. Te llegarán ofertas de trabajo interesantes, no las rechaces sin haberlas estudiado porque serán la solución para tu éxito profesional.

Tu salud será regular, pero a medida que avance el mes te sentirás mejor. Debes cuidarte, respetar tus horas de descanso, para no agotarte. Tu alimentación tiene que ser libre de grasas.

Tú tienes buena intuición para las inversiones, pero este mes será mucho mejor.

Números de la suerte

3 - 6 - 21 - 28 - 32

Las Cartas del Tarot, un Mundo Enigmático y Psicológico.

La palabra Tarot significa "camino real", el mismo es una práctica milenaria, no se sabe con exactitud quién inventó los juegos de cartas en general, ni el Tarot en particular; existen las hipótesis más disímiles en este sentido.

Algunos dicen que surgió en la Atlántida o en Egipto, pero otros creen que los tarots vinieron de la China o India, de la antigua tierra de los gitanos, o que llegaron a Europa a través de los cátaros. El hecho es que las cartas del tarot destilan simbolismos astrológicos, alquímicos, esotéricos y religiosos, tanto cristianos como paganos.

Hasta hace poco algunas personas si le mencionabas la palabra 'tarot' era común que se imaginaran una gitana sentada delante de una bola de cristal en un cuarto rodeado de misticismo, o que pensaran en magia negra o brujería, en la actualidad esto ha cambiado.

Esta técnica antigua ha ido adaptándose a los nuevos tiempos, se ha unido a la tecnología y muchos jóvenes sienten un profundo interés por ella.

La juventud se ha aislado de la religión porque consideran que ahí no hallarán la solución a lo que necesitan, se dieron cuenta de la dualidad de esta, algo que no sucede con la espiritualidad. Por todas las redes sociales te encuentras cuentas dedicadas al estudio y lecturas del tarot, ya que todo lo relacionado con el esoterismo está de moda, de hecho, algunas decisiones jerárquicas se toman teniendo en cuenta el tarot o la astrología.

Lo notable es que las predicciones que usualmente se relacionan al tarot no son lo más buscado, lo relacionado al autoconocimiento y la asesoría espiritual es lo más solicitado.

El tarot es un oráculo, a través de sus dibujos y colores, estimulamos nuestra esfera psíquica, la parte más recóndita que va más allá de lo natural. Varias personas recurren al tarot como una guía espiritual o psicológica ya que vivimos en tiempos de incertidumbre y esto nos empuja a buscar respuestas en la espiritualidad.

Es una herramienta tan poderosa que te indica concretamente qué está pasando en tu subconsciente para que lo puedas percibir a través de los lentes de una nueva sabiduría.

Carl Gustav Jung, el afamado psicólogo, utilizó los símbolos de las cartas del tarot en sus estudios psicológicos. Creó la teoría de los arquetipos, donde descubrió una extensa suma de imágenes que ayudan en la psicología analítica.

El empleo de dibujos y símbolos para apelar a una comprensión más profunda se utiliza frecuentemente en el psicoanálisis. Estas alegorías constituyen parte de nosotros, correspondiendo a símbolos de nuestro subconsciente y de nuestra mente.

Nuestro inconsciente tiene zonas oscuras, y cuando utilizamos técnicas visuales podemos llegar a diferentes partes de este y desvelar elementos de nuestra personalidad que desconocemos. Cuando logras decodificar estos mensajes a través del lenguaje pictórico del tarot puedes elegir que decisiones tomar en la vida para poder crear el destino que realmente deseas.

El tarot con sus símbolos nos enseña que existe un universo diferente, sobre todo en la actualidad donde todo es tan caótico y se les busca una explicación lógica a todas las cosas.

El Ermitaño Carta del Tarot para Piscis 2024

Esta carta del Tarot es una invitación a preguntarte y a buscar respuestas en tu interior.

Esta es la carta de aquellos que no tienen miedo a explorar la parte más profunda de su realidad.

Muestra a los maestros y a los que están en busca de esos maestros.

Te invita a encontrar respuestas en el silencio y en la soledad, y a meditar.

Es la carta de la búsqueda, pero, sobre todo, de la búsqueda interior.

Enseña la necesidad de tomarte un tiempo para ti mismo, para que puedas pensar y sumergirte en tu interior, buscando la verdad y las respuestas correctas que provienen de la sabiduría.

No es el momento de actuar impulsivamente, sino de dedicar tiempo a pensar las cosas con calma.

Sugiere que necesitas desarrollar tu espíritu a través de una profunda introspección, encontrar tu propia luz y hacer tu propio camino.

Quédate solo, o asóciate solamente con quienes estén en sintonía con tu momento. No desperdicies tiempo y energía con quien no está en sintonía contigo.

Esta carta anuncia un cambio. Se dará un proceso complicado, pero que tendrá un final positivo. Este periodo de transición te llevará a encontrar una verdad de sobre ti mismo.

Estás viviendo una situación que requiere respuestas y las mismas dentro de ti mismo. Esta carta te pide distancia, no importa si es de tu pareja, o de ti mismo. Si tienes pareja, probablemente la relación esté pasando por un momento difícil en el cual la comunicación ha sido afectada.

También indica que un viejo amor se hará presente, y con él una complicación, tienes que frenar las decisiones precipitadas. Debes valorar si te conviene involucrarte con el pasado.

Runas del Año 2024

Las runas son un conjunto de símbolos que forman un alfabeto. "Runa" significa secreto y simboliza el ruido de una piedra chocando con otra. Las runas son un antiguo método visionario y mágico.

Las runas no sirven para predicciones exactas, pero sí para orientarte sobre un hecho futuro, un tema o una decisión.

Las runas tienen un significado específico para la persona que lo desee, pero también algún mensaje relacionado con las adversidades que se presentan en la vida.

Raido, Runa de Piscis 2024

El mundo y tú son uno solo. No intentes cambiar lo que no te gusta del mundo. Cambia tú, y verás los milagros manifestarse en tu vida.

Representa las energías que llegan a tu vida para transformarlas y, como consecuencia, tendrás que hacer cambios.

Te invita a que transformes tu vida y te hagas responsable de las decisiones que hasta ahora has postergado. Esta runa te regala nuevas oportunidades con personas que vienen de otros países, o bien, te sugiere realizar un viaje de negocios, para que desbloquees lo que mantiene a tu negocio paralizado.

La abundancia puede a llegar a tu vida, si decides caminar la milla extra.

Raido te aporta la energía que necesitas para avanzar y te quita el miedo que sientes de visitar el médico.

Te advierte que sucederán situaciones inesperadas que te empujarán a que cambies de casa, o empleo. Todo esto sucederá porque debes renovarte.

Revisa el estado en el que se encuentra tu relación sentimental, ya que Raido te está avisando que existe un distanciamiento en tu pareja y es buen año para una reconciliación. Si estás soltero, llegará el amor repentinamente.
Considera crecer personal y profesionalmente, enfréntate a las situaciones que el destino te obliga a enfrentar.

Colores de la Suerte

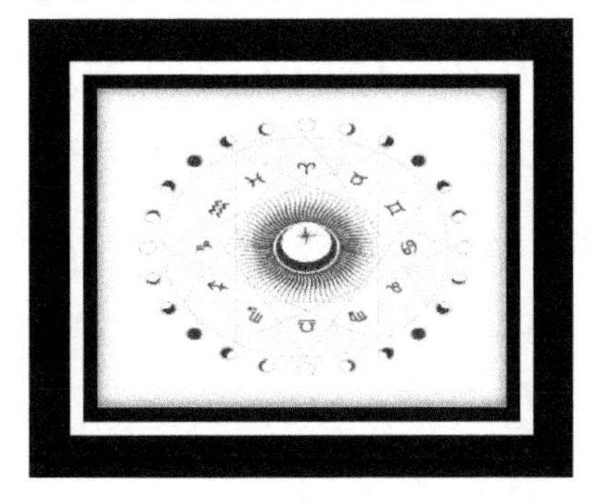

Los colores nos afectan psicológicamente; influyen en nuestra apreciación de las cosas, opinión sobre algo o alguien, y pueden usarse para influir en nuestras decisiones.

Las tradiciones para recibir el nuevo año varían de país a país, y en la noche del 31 de diciembre balanceamos todo lo positivo y negativo que vivimos en el año que se marcha. Empezamos a pensar qué hacer para transformar nuestra suerte en el nuevo año que se aproxima.

Existen diversas formas de atraer energías positivas hacia nosotros cuando recibimos el año nuevo, y una de ellas es vestir o llevar accesorios de un color específico que atraiga lo que deseamos para el año que va a comenzar.

Los colores tienen cargas energéticas que influyen en nuestra vida, por eso siempre es recomendable recibir el año vestidos de un color que atraiga las energías de aquello que deseamos alcanzar.

Para eso existen colores que vibran positivamente con cada signo zodiacal, así que la recomendación es que uses la ropa con la tonalidad que te hará atraer la prosperidad, salud y amor en el 2024. (Estos colores también los puedes usar durante el resto del año para ocasiones importantes, o para mejorar tus días.)

Recuerda que, aunque lo más común es usar ropa interior roja para la pasión, rosada para el amor y amarilla o dorada para la abundancia, nunca está demás adjuntar en nuestro atuendo el color que más beneficia a nuestro signo zodiacal.

Piscis

Plateado

Palabras claves del color plateado*: estabilidad, sensibilidad, versatilidad, independencia, paz, y tenacidad.*

El plateado es el color de la Luna, la cual está siempre cambiando. Se relaciona con la parte femenina y emocional, los aspectos sensibles y con la mente. Es el símbolo de la comunicación entre el mundo humano y el celestial.

El plateado equilibra, armoniza y es un color que ayuda a limpiarse interiormente. Representa la divinidad y tiene una energía que puede ayudar a quien lo usa. El plateado es un color versátil y se utiliza para crear equilibrio y armonía.

Este color te ayudará conectar con tu intuición, y atraerá abundancia a tu vida. El color plata te recuerda que eres un ser espiritual, y te ayudará a encontrar tu propósito.

Amuletos para la Suerte

¿Quién no posee un anillo de la suerte, una cadena que nunca se quita o un objeto que no regalaría por nada de este mundo? Todos le atribuimos un poder especial a determinados artículos que nos pertenecen y ese carácter especial que asumen para nosotros los convierte en objetos mágicos.

Para que un talismán pueda actuar e influir sobre las circunstancias, su portador debe tener fe en él y esto lo transformará en un objeto prodigioso, apto para cumplir todo lo que se le pida.

Usualmente un amuleto es cualquier objeto que propicia el bien como medida preventiva contra el mal, el daño, la enfermedad, y la brujería.

Los Amuletos para la buena suerte pueden ayudarte a tener un año 2024 lleno de bendiciones en tu hogar, trabajo, con tu familia, atraer dinero y salud. Para que los amuletos funcionen adecuadamente no debes prestárselos a nadie más, y debes tenerlos siempre a mano.

Los amuletos han existido en todas las culturas, y están hechos a base de elementos de la naturaleza que sirven como catalizadores de energías que ayudan a crear los deseos humanos.

Al amuleto se le asigna el poder de alejar los males, los hechizos, enfermedades, desastres o contrarrestar los malos deseos lanzados a través de los ojos de otras personas.

Amuleto para Piscis

Herradura.

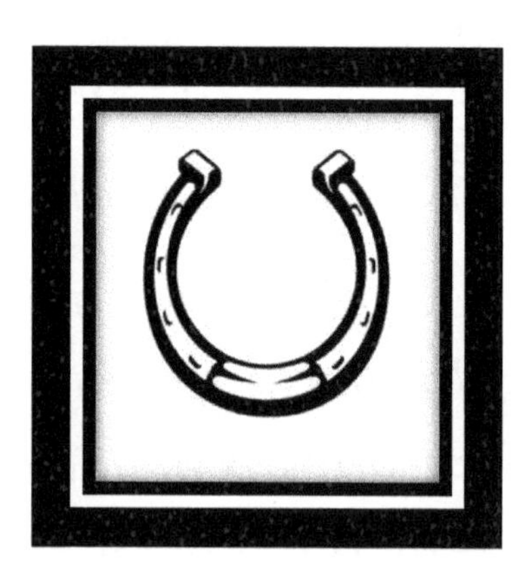

Es uno de los amuletos más antiguos de la historia, es un símbolo mágico y un talismán.

Desde la antigua Grecia las herraduras han sido consideradas poderosos amuletos que protegían del mal y atraían la buena suerte. Su forma, evoca a la Luna creciente, simboliza la fertilidad y la prosperidad.

Si quieres que te de buena suerte, ponla boca abajo, pero si, por el contrario, buscas protección, ponla boca arriba. Su poder es ayudar a disipar dudas y atraer la buena fortuna.

Cuarzos de la Suerte

Todos nos sentimos atraídos por los diamantes, rubíes, esmeraldas y zafiros, evidentemente son piedras preciosas. También son muy apreciadas las piedras semipreciosas como la cornalina, ojo de tigre, cuarzo blanco y el lapislázuli ya que han sido usadas como ornamentos y símbolos de poder por miles de años.

Lo que muchos desconocen es que ellos eran valorados por algo más que su belleza: cada uno tenía un significado sagrado y sus propiedades curativas eran tan importantes como su valor ornamental.

Los cristales siguen teniendo las mismas propiedades en nuestros días, la mayoría de las personas están familiarizadas con los más populares como la amatista, la malaquita y la obsidiana, pero actualmente hay nuevos cristales como el larimar, petalita y la fenacita que se han dado a conocer.

Un cristal es un cuerpo solido con una forma geométricamente regular, los cristales se formaron cuando la tierra se creó y han seguido metamorfoseándose a medida que el planeta ha ido cambiando, los cristales son el ADN de la tierra, son almacenes en miniatura que contienen el desarrollo de nuestro planeta a lo largo de millones de años.

Algunos han sido sometidos a enormes presiones y otros crecieron en cámaras profundamente enterradas bajo tierra, otros gotearon hasta llegar a ser. Tengan la forma que tengan, su estructura cristalina puede absorber, conservar, enfocar y emitir energía. En el corazón del cristal está el átomo, sus electrones y protones. El átomo es dinámico y está compuesto por una serie de partículas que rotan alrededor del centro en movimiento constante, de modo que, aunque el cristal pueda parecer inmóvil, en realidad es una masa molecular viva que vibra a cierta frecuencia y esto es lo que da la energía al cristal.

Las gemas solían ser una prerrogativa real y sacerdotal, los sacerdotes del judaísmo llevaban una placa sobre el pecho llena de piedras preciosas la cual era mucho más que un emblema para designar su función, pues transfería poder a quien la usaba.

Los hombres han usado las piedras desde la edad de piedra ya que tenían una función protectora guardando de diversos males a sus portadores. Los cristales actuales tienen el mismo poder y podemos seleccionar nuestra joyería no solo en función de su atractivo externo, tenerlos cerca de nosotros puede potenciar nuestra energía (cornalina naranja), limpiar el espacio que nos rodea (ámbar) o atraer riqueza (citrina).

Ciertos cristales como el cuarzo ahumado y la turmalina negra tienen la capacidad de absorber la negatividad, emiten una energía pura y limpia.

Usar una turmalina negra alrededor del cuello protege de las emanaciones electromagnéticas incluyendo la de los teléfonos celulares, una citrina no sólo te atraerá riquezas, sino que también te ayudará a conservarlas, sitúala en la parte de la riqueza en tu hogar (la parte posterior izquierda más alejada de la puerta de entrada). Si estás buscando amor, los cristales pueden ayudarte, sitúa un cuarzo rosado en la esquina de las relaciones en tu casa (la esquina derecha posterior más alejada de la puerta principal) su efecto es tan potente que conviene añadir una amatista para compensar la atracción.

También puedes usar la rodocrosita, el amor se presentará en tu camino.

Los cristales pueden curar y dar equilibrio, algunos cristales contienen minerales conocidos por sus propiedades terapéuticas, la malaquita tiene una alta concentración de cobre, llevar un brazalete de malaquita permite al cuerpo absorber mínimas cantidades de cobre.

El lapislázuli alivia la migraña, pero si el dolor de cabeza es causado por estrés, la amatista, el ámbar o la turquesa situados sobre las cejas lo aliviarán.

Los cuarzos y minerales son joyas de la madre tierra, date la oportunidad, y conéctate con la magia que desprenden.

Cuarzo de la Suerte para Piscis 2024

Amatista

Es una piedra protectora que trabaja a nivel de la intuición, desarrollando el tercer ojo y estimulando la sabiduría.

Tiene la facultad de calmar la ira y destruir sus emociones negativas.

Anula el caos mental y brinda paz, por esa razón se usa para generar equilibrio emocional.

Se utiliza para reducir el estrés y la ansiedad.

También puede ayudar a las personas en aflicción con las emociones fuertes que salen durante ese ciclo.

Este cuarzo calma las tormentas emocionales, y en escenarios de peligro, la amatista vendrá en tu asistencia.

Ofrece valentía a quien la usa, y es un amuleto eficiente.

Si la usas estarás protegido contra los sufrimientos y los peligros.

Compatibilidad de Piscis y los Signos Zodiacales

Piscis

Piscis *está simbolizado por dos peces nadando en direcciones opuestas, conectados por un hilo invisible, una representación de su existencia en la encrucijada de la utopía y lo real. Es el último signo del zodíaco, y por esa razón Piscis ha acumulado todas las lecciones experimentadas por los once signos delanteros.*

Es el signo más espiritual en la rueda zodiacal. Apacible y cortés, pero arisco como una espécimen que vive las aguas profundas del océano. La nebulosidad de Piscis está regida por Neptuno, el planeta que controla la creatividad y los sueños, así como la utopía y el escapismo.

Neptuno es fastuoso, fascinante, pero en ocasiones puede ser espantoso.

Estas propiedades se reflejan íntimamente en Piscis. Como signo de agua, tiene una profundidad enormemente multidimensional y una magia que lo hace seductor para los demás.

Al igual que el mar alterna sus olas, a veces está tranquilo, fantaseando con el mañana y recapacitando sobre las almas y los sucesos de su vida, y en otras ocasiones, es enérgico y violento, desenlazando sus recónditas sensibilidades en grandiosas corrientes.

Como el mar es una fuerza poderosa y peligrosa, antes de empezar la hazaña de conquistar a Piscis afiánzate y prepárate para toda la escala de sustos que se te aproximan.

Devoto a su método, Piscis nunca tiene desconfianza de cambiar su opinión, es más, disfruta de la ocasión de acoger nuevos puntos de enfoques e ideas.

Piscis no es rencoroso, puede tener el conflicto más grande del mundo y borrarlo completamente de su mente. Piscis también ayuda a otros a ver la vida desde nuevos enfoques, y puedes contar con él para ayudarte en cualquier circunstancia.

Él siempre anda indagando sobre nuevos métodos para ampliar sus horizontes, y a Piscis le encanta impulsar su espiritualidad a través de costumbres que cambian la imaginación, incluso si eso significa perseguir una sirena en un pantano, ya que el cómo último signo zodiacal, él está muy seguro de que la realidad es verdaderamente intangible.

Este signo es una esponja emocional, atrayendo definitivamente todo en su medio ambiente, incluso lo que existe en el plano sutil.

Con una empatía tan grandiosa, antes de que Piscis entre en una nueva relación, debe tomarse tiempo para repasar sobre cómo se siente realmente, observando cualquier molestia, y si las cosas se sienten raras, es muy seguro que absorbió las energías oscuras del campo áurico de la otra persona.

Si Piscis logra identificar de donde proviene esta tensión, será más fácil para el reconocer cómo los sentimientos de los demás lo afectan físicamente.

Esto lo puede ayudar a concentrarse en establecer líneas divisorias y evitar ser agobiado por las dificultades de otros en el futuro. Piscis es un alma afable, afectuosa y pura que se vivifica con los sueños, la música y, el amor. Salir con un Piscis es como bucear en las partes más profundas del grandioso océano, es apasionante, y misterioso.

Piscis fluye instintivamente hacia personas poco convencionales que marchan al ritmo de sus propios tambores. Sin embargo, eso no significa que su pareja ideal sea un desheredado social.

Realmente Piscis, prefiere parejas que estén afiliadas a comunidades innovadoras y liberales.

Cuando se trata de una cita nocturna con Piscis, piensa visitar una ópera, recorrer una galería de arte o anotarte en un taller de artes plásticas.

Él es influenciado por las experiencias, fundamentalmente aquellas que implican potestades no orales y no corporales, de hecho, cualquier experiencia con el espiritual Piscis está confirmada para implicar una profunda exploración subjetiva.

Con el paso del tiempo e interactuando, puedes investigar con exactitud qué tipos de prácticas puede o no soportar tu pareja de este signo, pero al comienzo de tu compromiso, evita cualquier cosa exorbitante. Esta criatura perceptiva no puede tolerar nada tosco.

Con esta personalización considerablemente espiritual y emocional, el apareamiento pisciano es hondamente sentimental, esta criatura de aguas profundas entiende las relaciones íntimas como la alianza de dos almas sublimes y correctas. Piscis puede tener sexo imprevisto, pero escoge estar con alguien que le importe sinceramente antes de caer tan bajo.

Este signo sensible tiene problemas para crear fronteras ya que los limites no existen en el mar. Tener una relación casual con Piscis es como viajar a otra galaxia, y es mucho más difícil embarcarse por sus mareas dentro de una relación establecida.

Estructurar una relación duradera con Piscis es un arte, requiere intrepidez, ímpetu y adaptación. Piscis funciona en su particular realidad, por lo que no es de extrañar que este soñador signo de agua pueda ser un poco áspero.

Él puede hacer planes para el futuro contigo querer comprar una casa o tener un hijo, y después al cabo de un tiempo cambiar su mente. Esto es decepcionante, pero no vale la pena enfrentar a Piscis sobre su conducta poco honesta debido a que carece de armazón emocional, su única protección es huir nadando, y si no lo sabias Piscis es proclive a dejar la embarcación al menor ataque.

En una relación, Piscis debe acordarse que los emociones de su pareja deben ser comunicadas, puede ser difícil para él admitir algo que no desea escuchar, pero la comunicación es la clave para que la relación no se pierda.

Si sientes que tu pareja Piscis está comenzando a apartarse, una manera de atraerlo es a través de la música. A simple vista luce como algo simple, pero las cosas personalizadas definitivamente capturarán el corazón de este pececito y lo ayudarán a restablecer su confianza en la relación.

Sin embargo, si una relación llega al punto de no regreso, Piscis se aislará calladamente. El prefiere no luchar con el problema, por lo que su forma preferida de ruptura es a menudo vaga y no definitiva.

Piscis y Aries, *es una relación donde se comparte el respeto mutuo. Aunque cuando el último signo del zodíaco se conecta con el primer signo, los resultados nadie los puede adivinar. Piscis, está saturado de conocimiento y emociones. Aries, como signo de fuego es ansioso, honesto y, egoísta.*

El ego de Aries no hace daño ya que lo motiva a funcionar, y cuando se asocia con Piscis, estas ideologías tan disparejas pueden sentirse desproporcionadas. Sin embargo, si Piscis puede admitir la ferocidad de Aries como parte de su inocencia, y Aries puede comprender el alma lozana de Piscis, pueden ser una pareja eficiente.

Piscis y Tauro, *son sentimentales, por lo que estos dos signos se atraen súbitamente. Piscis adora el arte y la poesía, mientras que Tauro adora la comida y el vino. Su relación es una experiencia completamente de otro mundo.*

Curiosamente, sin embargo, lo que mantiene a Piscis y Tauro vinculados no son sus gustos, sino sus capacidades para enseñarse recíprocamente lecciones más sustanciales. Piscis ayuda al tangible Tauro a percibir ideas indefinidas, mientras que Tauro anima a Piscis apasionado a aferrarse un poco más a la realidad.

Juntos, estos signos son más que parejas románticas, son inspiraciones el uno del otro.

Piscis y Géminis*, excepto por su problema para mantenerse a sí mismos son compatibles. Piscis se siente hechizado por la maestría social de Géminis, mientras que Géminis está complacido con la creatividad sin esfuerzo de Piscis. Ambos signos mutables son alimentados por la duplicidad, Piscis está simbolizado por dos peces, y Géminis por los gemelos, por lo que constantemente están siendo impulsados en direcciones opuestas.*

Con la misma facilidad que se unen, también se separan. Para que la relación funcione, estos dos signos deberán apoyarse y establecer un compromiso real con el mismo movimiento. Aunque ambos están inclinados a evadirse, quedarse con esta relación entusiasta es la mejor decisión que cualquiera de los signos puede hacer.

Piscis y Cáncer, *pueden funcionar perfectamente. Piscis pertenece a otro mundo. Popular por su dulce habilidad, su cordial creatividad y su eficaz clarividencia, este animal acuático atrae energías, auras y todo lo que existe dentro de las áreas sutiles de la vida. Cáncer, también una criatura marina, siendo la combinación perfecta para Piscis. La* *relación de Piscis con este camarada de agua puede ser grata y aclimatada. Cáncer puede aprender de Piscis cómo pulir sus propias destrezas intuitivas. Por supuesto, los eventos pueden ponerse un poco resbalosos de vez en cuando.*

***Piscis y Leo**, son creativos, pero lo expresan de diferente formas. Mientras que Leo disfruta siendo el centro del escenario, a Piscis le encanta realizar obras complejas que reflejen su propio mundo. Cuando se armonizan, estos dos signos pueden funcionar como deidades del otro, inspirando al otro a continuar desarrollando sus propios habilidades artísticos. Sin embargo, el agua y el fuego son demoledores.*

El mar de emociones de Piscis se vaporiza por el drama de Leo, y la llama de Leo se humedece por las emociones de Piscis, de hecho, tomará trabajo para que esta pareja dure. Ambos signos tendrán que aprender a acomodar sus prioridades, pero si están dispuestos, esta relación puede ser profundamente estimulante.

***Piscis y Virgo**, son sensibles y compasivos, por lo que estos opuestos se relacionan entre sí en un nivel profundamente empático. Dentro de esta suave relación, ambos aspiran a sacar lo mejor el uno del* *otro y, al hacerlo, crear un relación hermosa y estable. La mente lógica de Virgo ayuda a Piscis a alcanzar sus objetivos, mientras que el ingenio creativo de Piscis inspira a Virgo a explorar su propia expresión artística. Sin embargo, aunque Piscis y Virgo pueden beneficiarse de la bondad y el apoyo mutuo, los problemas pueden desarrollarse cuando estos signos se convierten en mártires.*

Estos signos deben recordar que las relaciones tienen más que ver con la responsabilidad, que con el sacrificio. Si cada signo pasa toda la relación sangrando, no quedará nada que celebrar.

***Piscis y Libra,** es una relación compleja. Para estos dos signos, su encuentro puede sentirse realmente como amor a primera vista.*

El sensible Piscis y el pensativo Libra son románticos por naturaleza, por lo que fluyen súbitamente hacia este vocablo cósmico de amor. Piscis y Libra quieren crear un relación exitosa, pero ninguno está muy seguro de cómo mantener su unión.

Dado que ninguno de los signos es particularmente convincente, es más fácil para estos dos exterminarse el uno al otro desde lejos. Por otro lado, tanto Piscis como Libra, odian el conflicto, por lo que cuando las cosas se ponen peligrosas huyen. Si ambos quieren cultivar una relación perdurable, tendrán que crear límites, establecer términos y comunicarse sus necesidades, incluso si eso significa una discusión esporádica.

Piscis y Escorpión*, es una relación muy espiritual. Escorpión es claramente discreto, y mientras que los otros signos tienen dificultades para aceptar su privacidad, Piscis está feliz de respetar estos límites. Piscis es innatamente psíquico, y realmente no necesita que Escorpión comparta información personal.*

Entre ellos existe la comunicación no verbal. Escorpión, valora esto y, puede enseñar a Piscis cómo defender sus necesidades. Piscis necesita mucho espacio para investigar, y Escorpión tiende a ser posesivo, estos dos necesitarán establecer un ritmo. Al final del día, Piscis y Escorpión forman una pareja responsable y verdaderamente hermosa.

Piscis y Sagitario *se entienden inmediatamente, ya que ambos son vagamundos, aunque como un signo de agua y un signo de fuego, correspondientemente, examinan disímiles dominios.*

Cuando se unen, se suministran bilateralmente detalles importantes sobre sus campos característicos. Piscis y Sagitario se iluminan mutuamente, alimentando valores recíprocos. Sin embargo, pueden tener problemas para permanecer relacionados por mucho tiempo. Piscis precisa del agua para mantenerse excitante, y Sagitario demanda un medio estable para conservar su fuego calentando. Para que Piscis y Sagitario duren en una relación sentimental, tendrán que reconocer su distancia y darse libertad mutua para vagar.

Piscis y Capricornio *son signos de agua y tierra correspondientemente, y viven en feliz armonía. La relación puede oscurecerse un poco ya que Piscis es altamente emocional y sensible, mientras que Capricornio es nutrido primariamente por el mundo tangible.*

En la mayoría de los casos, estas diferencias son inspiradoras, no obstante Piscis puede sentirse ahogado por la dureza de Capricornio, y Capricornio puede desalentarse por la falta del vínculo a tierra de Piscis.

Afortunadamente, ellos pueden ponerse de acuerdo ya que Piscis puede cooperar con su creatividad, y Capricornio puede brindar la configuración para ayudar a Piscis a ver sus sueños hechos realidad.

***Piscis y Acuario** Los dos últimos signos del zodíaco forman una pareja atrayente. Cuando la eficaz energía del aire Acuariano se fusiona con los efusivas aguas de Piscis, se esperan tifones. No obstante, ellos en realidad forman una pareja dinámica, ya que ambos signos están impresionados por explorar los secretos de la vida, y aunque Acuario está enlazado a la ciencia, y Piscis a la espiritualidad, cada uno tiene una honda valoración por los enfoques del otro.*

Ellos dos pueden distraerse recíprocamente colaborando con sus teorías complejas, e ideologías especulativas. Si bien puede ser difícil para Piscis y Acuario superar los remolinos, pueden forman un excelente equipo.

***Piscis y Piscis**, no es una pareja, es una pecera. Son románticos, idílicos y sensitivos, por lo que este relación se basa principalmente en la delicadeza y creatividad.*

De hecho, debido a que Piscis es tan psíquico, esta relación puede ser kármica. Tal vez sea una relación de otras vidas. Pero no hay límites en el mar, y del mismo modo, es difícil para estos dos similares definir su semejanza romántica.

Sin embargo, si lo hacen, la unión puede volverse demasiado enfrascada en las emociones, siendo muy fácil que estos peces se vuelvan dependientes uno del otro, y tanto destructivos. Si quieren crear un relación saludable, tendrán que descubrir cómo construir una superestructura compacta en torno a sus sentimentalismos sin formato. Lo más importante es que los dos tendrán que aprender a compensar el cuidado de sí mismos, con el cuidado recíproco.

Piscis y la Vocación

Piscis es un signo que brilla en entornos matizados de creatividad. La riqueza material, y el estatus social, no significan para Piscis absolutamente nada.

Esto no significa que no reconozca el valor de los bienes materiales, pero Piscis no vive pensando en lo que no posee.

Es gentil y lo que importa es el respeto.

Mejores Profesiones

Piscis es compasivo, creativo y artístico. El símbolo de Piscis es pez hacia arriba y otro pez hacia abajo. Esto muestra cómo Piscis frecuentemente vive dos existencias diferentes simultáneamente. antropólogo, filántropo, psicología, veterinario y escritor de novelas de ciencia ficción.

Signos con los que no debe hacer Negocios

No debes hacer negocios con Aries, Géminis y Acuario. Estos signos lo pueden llevar a la bancarrota.

Signos con los que debe Asociarse

Puede asociarse con Leo, Cáncer y Sagitario con los que podría hacer negocios super exitosos llenarse los bolsillos de dinero.

La Luna en Piscis

Si tu Luna está en Piscis tienes la necesidad de explorar tus conexiones emocionales y espirituales. Eres capaz de estar en sintonía con tus sentimientos. Uno de los retos, sin embargo, es que seas capaz de estar en sintonía con los sentimientos de los demás.

La seguridad que sientes compartiendo tus conexiones emocionales con otros, debes acompañarla con un aprendizaje correcto de cómo crear esas conexiones de forma saludable y poner límites.

A nivel inconsciente, absorbes la energía negativa de todos con los que te encuentras.

Las personas que tiene la Luna en Piscis sienten seguridad cuando se ocupan del dolor de otros. Sin embargo, deben ser capaces de aprender a transformar esa negatividad y liberarla. Tu destino es curar, no ser un mártir. No tienes sufrir para liberar del sufrimiento a otros.

La energía de Piscis se descompone cuando está bajo presión, y en cualquier situación en la que te sientas presionado, ya sea por límites muy fuertes o por una violación de estos límites tiendes a escapar.

Las necesidades de seguridad de la Luna en Piscis tienen que ver con cómo son de fuertes las conexiones emocionales y espirituales en una situación determinada.

En muchos sentidos, dejas que tus emociones te guíen a través de la vida, y tiendes a confiar en tus instintos y a seguirlos.

Cuanta más conexión sientas con el universo y más en sintonía te sientas con los que te rodean, más seguridad sentirás.

La importancia del Signo Ascendente

El signo solar tiene un impacto importante en quiénes somos, pero el Ascendente es el que nos define realmente, e incluso esa podría ser la razón por qué no te identificas con algunos rasgos de tu signo zodiacal.

Realmente la energía que te brinda tu signo solar hace que te sientas diferente al resto de las personas, por ese motivo, cuando lees tu horóscopo algunas veces te sientes identificado y les da sentido a algunas predicciones, y eso sucede porque te ayuda a entender cómo podrías sentirte y lo que te sucederá, pero solo te muestra un porciento de lo que realmente pudiera ser.

El Ascendente por su parte se diferencia del signo solar porque refleja quiénes somos superficialmente, es decir, cómo te ven los demás o la energía que les transmites a las personas, y esto es tan real que puede darse el caso que conozcas a alguien y si predices su signo es posible que hayas descubierto su signo Ascendente y no su signo solar.

En síntesis, las características que ves en alguien cuando lo conoces por vez primera es el Ascendente, pero como nuestras vidas se ven afectadas por la manera que nos relacionamos con los demás, el Ascendente tiene un impacto importante en nuestra vida cotidiana.

Es un poco complejo explicar cómo se calcula o determina el signo Ascendente, porque no es la posición de un planeta el que lo determina, sino el signo que se elevaba en el horizonte oriental en el momento de tu nacimiento, a diferencia de tu signo solar, depende de la hora precisa en que naciste.

Gracias a la tecnología y al Universo hoy es más fácil que nunca saber esta información, por supuesto si conoces tu hora de nacimiento, o si tienes una idea de la hora pero que no haya un margen de más de horas, porque hay muchos websites que te hacen el cálculo introduciendo los datos, astro.com es uno de ellos, pero por existen infinidades.

De esta manera, cuando leas tu horóscopo también puedes leer tu Ascendente y conocer detalles más personalizados, tú vas a ver que a partir de ahora si haces esto tu forma de leer el horóscopo cambiará y sabrás porque ese Sagitario es tan modesto y pesimista si en realidad ellos son tan exagerados y optimistas, y esto se deba quizás porque tiene un Ascendente Capricornio, o porque ese colega de Escorpión siempre está hablando de todo, no dudes que tenga un Ascendente de Géminis.

Les voy a sintetizar las características de los diferentes Ascendentes, pero esto es también muy general ya que estas características son modificadas por planetas en conjunción con el Ascendente, planetas que aspectan al Ascendente, y la posición del planeta regente del signo en el Ascendente.

Por ejemplo, una persona con un Ascendente de Aries con su planeta regente, Marte, en Sagitario responderá al entorno de forma un poco diferente a otra persona, también con un Ascendente de Aries, pero cuyo Marte está en Escorpión.

Del mismo modo, una persona con un Ascendente de Piscis que tiene Saturno en conjunción con él se "comportará" de manera diferente a alguien con un Ascendente de Piscis que no tiene ese aspecto.

Todos estos factores modifican el Ascendente, la astrología es muy compleja y no se lee ni se hacen horóscopos con cartas del tarot, porque la astrología además de ser un arte es una ciencia.

Puede ser habitual confundir estas dos prácticas y esto es debido a que, aunque se trata de dos conceptos totalmente diferentes, presentan unos puntos en común. Uno de estos puntos en común se basa en su origen, y es que ambos procedimientos son conocidos desde la antigüedad.

También se parecen en los símbolos que utilizan, ya que ambos presentan símbolos ambiguos que es necesario interpretar, por lo que requiere de una lectura especializada y es necesario tener una formación para saber interpretar estos símbolos.

Diferencias, hay miles, pero una de las principales es que mientras que en el tarot los símbolos son perfectamente comprensibles a primera vista, al tratarse de cartas figurativas, aunque haya que saber interpretarlos bien, en la astrología observamos un sistema abstracto el cual es necesario conocer previamente para interpretarlos, y por supuesto hay que decir, que, aunque podamos reconocer las cartas del tarot, cualquiera no puede interpretarlos de modo correcto.

La interpretación es también una diferencia entre las dos disciplinas porque mientras el tarot no tiene una referencia temporal exacta, ya que las cartas se sitúan en el tiempo solo gracias a las preguntas que se realizan en la tirada correspondiente, en la astrología sí que se hace referencia a una posición específica de los planetas en la historia, y los sistemas de interpretación que utilizan ambos son diametralmente opuestos.

La carta astral es la base de la astrología, y el aspecto más importante para realizar la predicción. La carta astral debe estar perfectamente elaborada para que la lectura tenga éxito y se puedan conocer más cosas acerca de la persona.

Para elaborar una carta astral, es necesario conocer todos los datos sobre el nacimiento de la persona en cuestión.

Es preciso que se sepa con exactitud, desde la hora exacta en que se dio a luz, hasta el lugar donde se hizo.

La posición de los planetas en el momento del nacimiento desvelará al astrólogo los puntos que necesita para elaborar la carta astral.

La astrología no se trata solamente de conocer tu futuro, sino de conocer los puntos importantes de tu existencia, tanto del presente como del pasado, para poder tomar mejores decisiones para decidir tu futuro.

La astrología te ayudará a conocerte mejor a ti mismo, de modo que podrás cambiar las cosas que te bloquean o potenciar tu cualidades.

Y si la carta astral es la base de la astrología, la tirada del tarot es fundamental en esta última disciplina.

Igual que quien te realiza la carta astral, el vidente que te realice la tirada del tarot, será la clave en el éxito de tu lectura, por eso lo más indicado es que preguntes por tarotistas recomendadas, y aunque seguramente no te podrá responder concretamente a todas las dudas que te plantees en tu vida, una correcta lectura de la tirada del tarot, y las cartas que salgan en dicha tirada, te ayudarán a guiarte acerca de las decisiones que tomes en tu vida.

En resumen, la Astrología y el tarot utilizan simbología, pero la cuestión primordial es como se interpreta toda esta simbología.

verdaderamente una persona que domine ambas técnicas, sin duda, va a ser una gran ayuda a las personas que le van a pedir consejo.

Muchos astrólogos combinamos ambas disciplinas, y la práctica habitual me ha enseñado que ambas suelen fluir muy bien, aportando un componente enriquecedor en todos los temas de predicción, pero no son lo mismo y no se puede hacer horóscopo con cartas del tarot, ni se puede hacer una lectura del tarot con una carta astral.

Piscis Ascendente Aries

Piscis Ascendente Aries tiene un fuerte carácter y se impone a los demás con su presencia. Será un Piscis emprendedor, y autoritario, con buen criterio para los negocios y las finanzas. En el amor será apasionado.

Piscis Ascendente Tauro

Piscis Ascendente Tauro es apegado a la familia. En el amor es apasionado, sensual, y posesivo. En el trabajo es muy enfocado y le encanta hacer negocios y ganar dinero.

Piscis Ascendente Géminis

Piscis Ascendente Géminis tiene versatilidad, mente ágil y abierta y mucha capacidad de trabajo. Será dinámico y abierto. En el amor, será independiente con tendencia a las relaciones esporádicas y a experimentar con varias parejas.

Piscis Ascendente Cáncer

Piscis Ascendente Cáncer son personas imaginativas, creativas, sensuales, y románticas. Algunas veces podrán ser posesivos y celosos. Profesionalmente serán creatividad pura.

Piscis Ascendente Leo

Piscis Ascendente Leo es un individuo seguro de sí mismo, con dotes de mando, independiente y aventurero. Será un Piscis con tendencia a escuchar los problemas de los demás y ayudarles. Su vida será una fiesta. Profesionalmente, serán trabajadores, estudiosos y su empatía les abrirá muchas puertas.

Piscis Ascendente Virgo

Piscis Ascendente Virgo son personas con un gran poder de análisis, observación, planificación, organización, facilidad para negociar y concretar, y con mucho control sobre todas las cosas. En el amor son reflexivos.

Piscis Ascendente Libra

Piscis Ascendente Libra son divertidos, fiesteros, y buenos amigos. Tienen una personalidad muy sofisticada, elegante y siempre están a la moda. En el amor son conquistadores y seductore, Profesionalmente sobresalen en cualquier actividad o trabajo que realicen.

Piscis Ascendente Escorpio

Piscis Ascendente atractivo es un individuo con un magnetismo y una pasión seductora increíble. Este es un Piscis sexual. Profesionalmente son fríos, calculadores, observadores, y estrategas.

Piscis Ascendente Sagitario

Piscis Ascendente Sagitario son individuos aventureros y viajeros. Su creatividad e imaginación lo convierten en alguien muy bueno, para trabajos artísticos. En el amor, aman la lujuria, por eso siempre tienen relaciones esporádicas y detestan formalizar una relación.

Piscis Ascendente Capricornio

Piscis Ascendente Capricornio es una persona con cordura, sensatez, y romanticismo. Puede ser controlador, pero es un gran administrador en los negocios. Son emprendedores y seguros de sí mismos Son estrictos, tradicionales y moderados,

Piscis Ascendente Acuario

Piscis Ascendente Acuario son personas modernas, independientes, y eficientes. Le gusta aprender y son muy intelectuales. Siempre están abiertos a las nuevas tecnologías, porque son innovadores. En el amor, son selectivos y fieles.

Piscis Ascendente Piscis

Piscis Ascendente Piscis son románticos, y creativos. Esta es una persona que crea su mundo en el que es feliz según sus propias reglas y creencias. No son agresivos y competitivos. Disfrutan ayudando a los demás, y saben aconsejar. Son muy tolerantes, y compasivos. Algunos son inseguros, pero les encanta fiestar Suelen tener relaciones esporádicas, que no llegan a nada debido a su inseguridad y baja autoestima.

Saturno en Piscis, uno de los eventos astrológicos más importantes.

El 7 de marzo del 2023 fue uno de los días más importantes en el calendario astrológico de ese año. Saturno, el severo maestro, y señor del karma, se enfrentó con Piscis, el soñador. Este tránsito de Saturno en Piscis, que durará hasta febrero del 2026, no ha sido una mezcla bien recibida.

Saturno es un planeta de responsabilidad y autoridad estricta, que nos disciplina y estructura mientras transita a través del zodíaco. Saturno quiere cerciorarse de cómo estamos alcanzando nuestros objetivos, y cuando este planeta se mueve por Piscis, el signo más espiritual, algunas propuestas importantes se dirigen hacia nosotros. Plutón y Saturno, cambiando tan al unísono, traerán un volcán energético gigantesco, y garantizado que será un período inolvidable.

Esto puede resonar como una fórmula para la batalla, pero este combo energético, en realidad, puede ser eficaz y provechoso.

Saturno no está satisfecho en Piscis. Es difícil para él fundar estructuras y construir la realidad cuando todo es movedizo. Piscis es un signo dual, por eso puede expresarse de formas opuestas; puede ser lo mismo trascendental, como práctico. Existe la posibilidad de que Saturno en Piscis indique la construcción de formas encima o debajo del agua, o para dominar el agua, como conductos, acueductos y puertos. Pero también puede revelar el derrumbe de estas estructuras debido a huracanes o fragilidad estructural.

El arquetipo de Piscis es contradictorio con Saturno. Representa la utopía, la creatividad, espiritualidad y el esoterismo, así como los sueños, las ilusiones, las mentiras y el escapismo. Simboliza la aspiración de fluir como el mar, deshaciendo las fronteras y las restricciones.

El último tránsito de Saturno en Piscis fue de mayo del año 1993 a abril del 1996, esta etapa vio los resultados del colapso de la Unión Soviética en 1989 que causó secuelas en todo el mundo y aplastó la economía rusa. Rusia emprendió la primera guerra Chechena en el año 1994 que se extendió hasta 1996. El Juzgado Penal Internacional para la ex Yugoslavia fue establecido en La Haya en mayo del año 1993 para procesar los crímenes de guerra realizados durante las beligerancias yugoslavas a principios de los años 1990.

Por otro lado, la guerra de Bosnia, entre croatas, bosnios y serbios se extendió con crueldades y expurgación étnica, y variadas ejecuciones. La guerra concluyó en el año 1995, y la mayoría de los comandantes serbobosnios fueron culpados de genocidio y crímenes contra la humanidad. En 1994 el genocidio de Ruanda empezó cuando las bandas hutus asesinaron a más de 700, 000 tutsis, y fueron violadas una cantidad incalculable de mujeres durante la masacre, que definitivamente terminó en julio. La crisis del desarme de Irak, después que término la primera Guerra del Golfo, estaba en su apogeo con mucho ruido y ninguna confianza entre los implicados.

Una secta en Suiza denominada la "Orden del Templo Solar", realizó una cadena de crímenes y suicidios masivos, y aquí en los Estados Unidos, Timothy McVeigh asesinó a 168 personas en el atentado de la ciudad de Oklahoma. Durante ese tránsito de Saturno por Piscis, fue cuando O.J Simpson fue detenido por el asesinato de su exesposa y el novio, y liberado después de un extenso juicio que fue todo un espectáculo al estilo de Hollywood.

En Londres, Fred West y su esposa Rose fueron encarcelados después de las extracciones en el patio de su casa de los cuerpos de múltiples víctimas de asesinato.

Sudáfrica tuvo sus primeros escrutinios multirraciales, y Nelson Mandela fue elegido presidente, aboliendo más tarde la pena de muerte en ese país. Rusia y China firmaron un acuerdo para parar de provocarse recíprocamente con sus artefactos nucleares, y el Tratado de "No

Proliferación Nuclear" fue amplificado interminablemente por 170 países. En Australia se pactó indemnizar a los indígenas que fueron desalojados durante los ensayos nucleares en los años 1950 y 1960.

Otros eventos durante el tránsito de Saturno en Piscis comprenden corrientes religiosas, movimientos ideológicos como el socialismo y el izquierdismo, la transmisión de enfermedades y contagios, las conductas destructivas inducidas por el pánico, un incremento en el uso de drogas y desarrollo de todo tipo de arte, así como los medios de transporte marítimos.

Saturno en Piscis, va a procurar que no podamos utilizar la espiritualidad o el miedo para esquivar determinados conflictos que debemos enfrentar. Podemos meditar, ir a pasar cien años en el Tíbet, y utilizar los mantras más poderosos del universo, pero en algún momento, también debemos actuar.

Durante los últimos años que Saturno ha transitado por Acuario, ha existido la necesidad de concentrarse en la individualidad y ser más genuinos, en lugar de tolerar la coacción de los que nos rodean.

Aunque Acuario es un signo conocido por bailar a su propio ritmo, como Saturno se trata de limitaciones, nos ha empujado a sentarnos solos con nosotros mismos (recuerda las restricciones durante la pandemia), y mirar dónde podemos situarnos para crear límites saludables.

Todas esas lecciones nos prepararon para lo que se avecina con Saturno en Piscis. Comenzaremos a ser más sensatos sobre cómo añadir la espiritualidad en nuestra vida diaria, mientras conservamos un entendimiento de como estructurarnos. Muchas personas abandonarán o cuestionarán las religiones o dogmas.

Por supuesto que hay muchos que no saborearán este período, entre ellos están los guías religiosos y los que promueven las teorías conspirativas. Veremos conflictos entre individuos de religiones disímiles, y muchas tendencias a tratar de dominar lo que los demás opten por creer.

Necesitamos aceptar que solo porque otros no estén de acuerdo con nuestras creencias, no significa que estén equivocados. Sencillamente indica que sus puntos de vista son diferentes, porque al final del día, Piscis defiende la inclusión. Algo que carecemos.

Como Piscis y Neptuno rigen los negocios del entretenimiento, grandes estudios y compañías discográficas cerrarán, y muchos artistas que han estado conectados a esos estudios decidirán crear el propio. Si eres un artista, te interesará utilizar tu trabajo de forma beneficiosa, en vez de dejar que las grandes compañías en la cúpula disfruten los dividendos.

Disminuirá el interés hacia los efectos especiales y una orientación mayor hacia las películas autónomas, y los temas que reflejen lo cotidiano. Apreciaremos la belleza a nuestro alrededor, y estaremos menos motivados por el glamour.

El karma muchas veces tendemos a verlo como algo maléfico, pero recoger lo que siembras no es malo, siempre y cuando te hayas portado bien.

Trabajar con nuestro bagaje kármico y subconsciente, entender el pasado y estar listo para dejar ir, es decisivo para desenvolverse en este tránsito y salir de él con éxito. Si esquivas esto, Saturno te sancionará, pero si lo abrazas, llegarás a un lugar que está predestinado a algo grandioso.

La ubicación de Saturno en nuestra carta natal indica dónde estamos obligados a obtener control de la realidad y asumir una mayor responsabilidad.

Piscis es el último signo del zodíaco, por lo que el movimiento de Saturno aquí también indica un final o un punto de finalización para un ciclo mucho mayor.

Piscis es un signo de agua que representa la luz, la oscuridad y los mundos invisibles. Es conocido por sus ideas abstractas, y creatividad. Piscis es mutable, lo que significa que es adaptable, y abierto a las energías del mundo que la rodea. Saturno es una energía muy sólida. Rige sobre la ley, las responsabilidades y las restricciones, y su energía a veces puede sentirse como una llamada de atención, devolviéndonos a la realidad y haciéndonos enfrentar las consecuencias de nuestras acciones.

La presencia de Saturno en Piscis podría sentirse un poco pesada debido a todo esto, ya que la energía pisciana normalmente acuosa, intuitiva y sensible se verá obligada a volverse un poco más reservada.

Para entenderlo mejor puedes pensarlo de esta forma: si Piscis es agua que fluye suavemente, la presencia de Saturno va a construir diques, y estas retenciones pueden dirigir el agua en una dirección productiva y beneficiosa, pero también puede sentirse más opresora o controladora.

Sin embargo, hay una manera de crear un equilibrio entre estas dos energías, ya que las ideas creativas, intangibles y externas de la energía pisciana pueden obtener algunas raíces gracias a Saturno.

Saturno tiene una energía práctica, así que, si combinamos esto con la creatividad de Piscis, hay un equilibrio que se puede lograr para ayudarnos a tomar nuestras ideas creativas y darles vida o incluso convertirlas en un negocio.

Piscis también está conectado con la religión y la espiritualidad, por lo que con Saturno podría haber muchas preguntas en torno a la religión y la espiritualidad y cómo está conectado con las reglas que gobiernan la sociedad, la industria espiritual también puede recibir una llamada de atención bajo esta energía, o a nivel personal tus propias actitudes y creencias sobre tu conexión espiritual o religiosa cambiarán.

Realmente Saturno lo que quiere es que demos un paso adelante y asumamos la responsabilidad de nuestras vidas y que actuemos de acuerdo con nuestro auténtico yo.

Saturno puede imponer límites y restricciones que nos hacen sentir atrapados o sofocados, pero esto es solo para que podamos tomarnos el tiempo para descubrir lo que realmente queremos y lo que realmente estamos dispuestos a defender.

Otra forma de obtener más información acerca de este transito planetario tan poderoso es que pienses en los temas que se desarrollaron en tu vida la última vez que Saturno estuvo en Piscis, que fue de año 1994 al 1996, para que obtengas información adicional sobre lo que este ciclo te puede traer.

¿Como afectará al Signo Piscis?

Cada 28 años Saturno entra en tu signo zodiacal. Saturno tarda tanto tiempo en abrirse camino que cuando llega, se asegura de que el trabajo se haga. Puedes pensar en Saturno llegando a tu signo como Hary Potter llegando con su varita mágica, ayudando a limpiar la habitación, organizar las cosas y hacer que las cosas funcionen. Saturno puede ser una energía pesada y trae desafíos, pero esto es solo para que puedas alcanzar el máximo de tu potencial.

Saturno es el guardián de tu contrato del alma, el acuerdo que hicimos antes de entrar en este cuerpo terrenal, y quiere asegurarse de que estás viviendo de acuerdo con este contrato del alma. Quiere asegurarse de que está siguiendo las reglas de este contrato y a la altura de tu máximo potencial. Cuando Saturno entra en tu signo, su energía toca cada rincón de tu vida. Quiere que des un paso adelante y asumas la responsabilidad de tu cuerpo físico, cuerpo mental, cuerpo emocional y cuerpo espiritual.

Todo comienza contigo, y eso es lo que tu enfoque será mientras Saturno recorre tu signo: Tú. ¿Qué necesitas? ¿Qué necesita tu cuerpo? ¿Qué necesita tu corazón? Se trata de conectarse con las necesidades y deseos de su cuerpo, mente y alma. Estás en el centro de todo, y Saturno en Piscis te ayudará a conectarte con el núcleo de lo que realmente eres. Saturno te ayudará a quitar las máscaras que ya no te sirven y te revelará lo que es profundamente importante, te ayudará a sentirte más alineado y conectado a tierra en tu camino y aclarará las cosas que ya no son para ti.

Siempre que Saturno está involucrado, siempre es una buena idea volver a la responsabilidad, con Saturno en Piscis, Saturno quiere que asumas la responsabilidad de ti mismo, nadie más lo va a hacer, tienes que hacerlo tú, tienes que dar un paso adelante y comenzar a comunicar tus necesidades y abogar por ti mismo. Nadie te va a cuidar de la manera que tú lo puedes hacer, y eso es lo que Saturno está aquí para recordarte. Con Saturno en tu signo puedes sentirte pesado a veces, también puedes sentirte un poco agobiado por el mundo o los eventos que suceden en tu vida. Saturno puede poner algo de peso sobre tus hombros, pero esto es solo para que puedas descubrir lo que deseas llevar.

El peso que sientes es todo lo que has inculcado en ti mismo o en tu propia vida, pero Saturno lo soportará todo hasta que te des cuenta de lo que ya no es necesario aferrarte. Saturno quiere limpiar tu bandeja, quiere liberarte de esta pesadez, pero necesita que seas tú quien actúe. Te mostrará y revelará todo lo que te está pesando y manteniéndote pesado, y luego depende de ti hacer lo que quieras con él.

Cuando Saturno está comenzando en nuestro signo, podemos sentir que el peso se acumula, pero podemos seguir el flujo de todo hasta que no podamos, y luego, las cosas se desmoronan, y nos damos cuenta de lo que ya no va a funcionar para nosotros. Saturno puede acercarse sigilosamente a nosotros así, pero no te preocupes.

Saturno no está aquí para engañarte, es más como un maestro, o ese maestro molesto que quiere que resuelvas las cosas a tu manera para que la lección se mantenga. En lugar de hacerlo todo por ti, te guía a casi equivocarte para que puedas corregirte y encontrar tu propio camino.

Saturno pasará dos años y medio en tu signo y se moverá lentamente, asegurándose de que no dejes de aprender. Es importante que recuerdes que cuando se trabaja con la energía de Saturno, es mejor ir despacio y dar pasos metódicos y prácticos hacia adelante. Puedes beneficiarte de mantener un horario y verificar regularmente contigo mismo para asegurarte de que estás haciendo lo que te llena y te hace sentir bien. También sería una buena idea trabajar estrechamente con tus límites y asegurarte de que no estás permitiendo que otros o situaciones traspasen tus límites personales.

Saturno es el maestro de los límites, por lo que tienes algo de apoyo a tu lado aquí para asegurarte de que no se aprovechen de ti, y que solo estés de acuerdo con lo que se siente correcto y cómodo para ti. Junto con estas herramientas, también puede beneficiarte pasar tiempo en la naturaleza y aprender a conectar tu energía. Saturno es una presencia muy arraigada, por lo que sentirse cómodo con estar conectado a tierra puede ayudarte a navegar esta energía.

Como signo de agua, puedes sentirte un poco sofocado por la presencia terrenal de Saturno, por lo que hacer cosas para devolver el flujo a tu cuerpo también puede ser útil, esto puede incluir pasar tiempo cerca del agua, nadar, bailar o cualquier forma de ejercicio que te permita equilibrar tus centros de energía. El otro regalo increíble que Saturno en tu signo te ofrece es el potencial creativo. Eres sin duda muy creativo y probablemente usas tu creatividad en tu campo profesional de alguna manera.

De hecho, es probable que la creatividad fluya en todas las áreas de tu vida, Saturno te va a ayudar con esto. Saturno va a tomar todas tus ideas y ayudarte a canalizarlas en algo productivo y duradero. Si quieres trabajar en un campo creativo, si quieres tomar tus ideas creativas y convertirlas en un negocio, tienes la mejor energía para hacerlo.

Este es un momento fantástico para tomar tus ideas y convertirlas en algo tangible y duradero. Saturno te ayudará a tener una fuerte mentalidad empresarial para que puedas dar a tus ideas creativas la mejor oportunidad posible de florecer en el mundo. Lo mismo se aplica si quieres hacer algo en el campo espiritual, de hecho, la espiritualidad y tu conexión espiritual también pueden surgir para ti bajo este tránsito. Es probable que te muevas hacia una comprensión más profunda y conectada de quién eres a nivel espiritual, incluso puedes encontrar tus dones intuitivos y psíquicos aumentados bajo esta ubicación.

Si normalmente eres una persona muy sensible, Saturno puede ayudarte a atenuar esto por un período para que puedas volver a tu centro y sentirte más alineado con lo que eres. Entonces, cuando estés listo, comenzarás a recibir y abrirte a más de tus dones intuitivos. Saturno es definitivamente una energía dura, no hay forma de evitarlo. Puede ser como una verificación de la realidad, obligándonos a despertar y obtener una vida real con ingenio. Pero si haces el trabajo, serás recompensado. Hay tantos dones que se pueden tener cuando Saturno viene para quedarse, así que abraza el viaje, apóyate en las lecciones, y descubrirás una nueva maestría.

La Amistad desde el Punto de Vista Astrológico

La amistad es una de las conexiones humanas más maravillosa, un amigo es el amparo en nuestras penas y con quien compartimos los momentos de alegría.

Algunas amistades nacen instantáneamente, en cambio otras toman años en consolidarse. Se construye sobre la base de la reciprocidad y el compromiso.

Encontrar un amigo auténtico en nuestros tiempos es un poco difícil, ya que vivimos en una sociedad donde casi todos buscan beneficiarse de algo, por eso cuando lo hallamos nos aferramos a él.

Es importante recordar que cada persona que se cruza en nuestro camino sea buena o mala nos trae una lección importante que aprender.

Cuando se trata de amistad la astrología, como siempre tan fascinante, tiene mucho que decir. No todos conferimos el mismo valor a la amistad en nuestra vida, y no nos vinculamos de igual forma con nuestros amigos.

Aries, *es un signo muy dadivoso y espontáneo. Es ese tipo de amigo que está en las buenas y en las malas. Con ellos se viven aventuras y días de locura. Aries a veces permite que su temperamento empañe sus verdaderas cualidades, pero al final son personas en* *quien puedes confiar. Para Aries Libra y Acuario son sus mejores aliados.*

***Tauro**, los amigos más tercos, pero los más confiables. La amistad de Tauro supera cualquier contrariedad, y traspasa las barreras del tiempo. Son amigos dedicados, leales, constantes y buenos consejeros. En ocasiones posesivo y celoso. Los mejores aliados de Tauro son Capricornio y Cáncer.*

***Géminis**, es super divertido y tiene siempre muchos amigos. Es un poco inconsistente y hablador, por eso es poco confiable. Con ellos se trata de seguirles la corriente y aclimatarse a su conducta versátil. Las amistades de Géminis deben tener una conexión intelectual, por eso sus mejores aliados son Libra y Leo.*

***Cáncer**, su grupo de amigos es muy reducido porque les aterra abrirse a los demás. Es un amigo super sentimental, generoso y protector. Siempre dispuestos a brindarte su hombro para calmar tus aflicciones. Si eres su amigo, eres parte de su familia. Los mejores aliados de Cáncer son Virgo y Piscis.*

***Leo**, es carismático, divertido y cálido. Es muy leal y se sacrifica por sus amigos. Debido a su aura tan magnética atraen a muchos amigos. Sienten un placer extremo en hacer favores, dan sin esperar nada a cambio. Sin embargo, su espíritu competitivo y el egocentrismo son su talón de Aquiles, necesitan de* *amigos humildes y pacientes. Sus mejores aliados son Capricornio y Sagitario.*

***Virgo**, la perfección también la extienden a esta área. Son exigentes y selectivos. Ignoran sus problemas personales para darle una mano a sus amigos. Son afables y discretos. En ocasiones les gusta encerrarse en su mundo y no permiten que nadie entre en él. Los mejores aliados de Virgo son Cáncer y Escorpión.*

***Libra**, son armónicos, serenos y tranquilos. Saben divertirse con sus amigos, les encanta vivir rodeados de amistades y gracias a su capacidad diplomática saben solucionar los problemas de sus amistades. Cuando forjan una amistad es genuina. Los mejores aliados de Libra son Sagitario y Acuario.*

***Escorpión**, su actitud es honorable e íntegra. Celosos y posesivos con sus amigos, tener a un Escorpión entre tus amistades es sinónimo de apoyo absoluto. Escorpión es uno de los amigos más leales que te podrías encontrar durante tu vida, muy buenos consejeros. Los mejores aliados de Escorpión son Virgo y Capricornio.*

***Sagitario**, tener a un amigo de este signo es como tener un fortuna. Su amistad es de las más sinceras, puras y nobles de todo el zodiaco. Sagitario va hasta el final por sus amigos. Posee la capacidad de tener muchas amistades y tienen la habilidad de solucionar* *los problemas, son protectores. Los mejores aliados son Libra y Géminis.*

***Capricornio**, no le resulta fácil encontrar amigos, porque es muy circunspecto y cauteloso. Suelen buscar amistades que les duren mucho tiempo, pues saben lo significativo que son estas lazos en la vida. Cuando logra establecer una conexión es leal. Le gusta que lo escuchen y que no ignoren sus consejos. Sus mejores aliados son Tauro y Virgo.*

***Acuario**, es el amigo perfecto, respeta la vida privada de sus amigos y es discreto. Muy generosos con quienes estiman de verdad. Pero lo que no resisten es que alguien trate de obstaculizar su libertad, porque son muy independientes. Un amigo acuariano es un verdadero tesoro que conviene cuidar porque siempre dará lo mejor de sí mismo sin pedir nada a cambio. Sus mejores aliados son Libra y Aries.*

***Piscis**, la paz que irradia este signo es un imán para atraer amigos. Es dulce y fiel, por eso generan una empatía incomparable. Son sinceros y se expresan con el corazón en la mano, pero exigen que los demás sean recíprocos. Requieren de estar a solas y reflexionar por tanto es probable que no pasen tanto tiempo con sus amigos. Sus mejores aliados son Tauro y Escorpión.*

Rituales para el Mes de Enero

Enero 2024

Domingo	Lunes	Martes	Miércoles	Jueves	Viernes	Sábado
	1	2	3	4	5	6
7	8	9	10	11 ● Luna Nueva	12	13
14	15	16	17	18	19	20
21	22	23	24	25 ○ Luna Llena	26	27
28	29	30	31			

Enero 11, 2024 Luna Nueva Capricornio 20°44'

Enero 25, 2024 Luna Llena Leo5°14

Mejores rituales para el dinero

Jueves 11 de enero del 2024 *(día de Júpiter). Luna Nueva en Capricornio, un signo de estabilidad. Buen día organizar nuestras metas, nuestras vocaciones, nuestra carrera, para obtener honores. Para pedir un aumento de sueldo, para hacer presentaciones, hablar en público. Para hechizos relacionados al trabajo o dinero. Rituales relacionados con obtener ascensos y promociones, las relaciones con superiores y conseguir el éxito.*

Jueves 25 de enero 2024 *(día de Venus) Favorable para los hechizos de dinero, amor y asuntos legales. Rituales relacionados con prosperidad y obtención de empleos.*

Ritual para la Suerte en los Juegos de Azar

En un billete de lotería escribes la cantidad de dinero que quieres ganar en la parte delantera del billete y en el reverso tu nombre. Quemas el billete con

una vela color verde. Recoge las cenizas en un papel violeta y entiérralas.

Ganar Dinero con la Copa Lunar. Luna Llena

Necesitas:
- *1 copa de cristal*
- *1 plato grande*
- *Arena fina*
- *Purpurina dorada (glitter)*
- *4 tazas de sal marina*
- *1 cuarzo malaquita*
- *1 taza de agua de mar, de rio o sagrada*
- *Ramas de canela o canela en polvo*
- *Albahaca seca o fresca*
- *Perejil fresco o seco*
- *Granos de maíz*
- *3 billetes de denominación corriente*

Coloca dentro de la copa los tres billetes doblados, las ramas de canela, los granos de maíz, la malaquita, la albahaca y el perejil. Mezcla la purpurina con la arena y agrégala en la copa hasta llenarla completamente. Bajo la luz de la Luna Llena, coloca el plato con las cuatro tazas de sal marina.

Coloca la copa en el medio del plato, rodeada por la sal. Derrama la taza de agua sagrada en el plato, de forma que humedezca bien la sal, déjalo toda la noche a la luz de la Luna Llena, y parte del día hasta que el agua se vaporice y la sal esté nuevamente seca.

Agregas cuatro o cinco granitos de sal a la copa y botas el resto.

Lleva la copa para adentro de tu casa, en algún lugar visible o donde guardas el dinero.

Todos los días de Luna Llena vas a esparcir por cada rincón de tu casa un poco del contenido de la copa, y lo barres al día siguiente.

Mejores rituales para el Amor

Viernes 19 de enero 2024 *(Dia de Venus). Apropiado para hechizos o rituales relacionados con el amor, contratos, y asociaciones.*

Hechizo para Endulzar a la Persona Amada

Escribes el nombre completo de la persona que amas y el tuyo encima de este siete veces en un papel cartucho (Brown paper).

Este papel lo colocas dentro de una copa de cristal y le pones miel, canela, un cuarzo rosado y pedacitos de cascara de naranja.

Mientras realizas el ritual repite en tu mente: "Te endulzo y entre nosotros reina solo el amor verdadero". Mantenlo en un lugar oscuro.

Ritual para Atraer el Amor

Necesitas

- Aceite de rosas

- 1 cuarzo rosado

- 1 manzana

- 1 rosa roja en un búcaro chiquito

- 1 rosa blanca en un búcaro chiquito

- 1 cinta roja larga

- 1 vela roja

Para mayor efectividad este ritual debe ser realizado un viernes o domingo a la hora del planeta Venus o Júpiter.

Debes consagrar la vela antes de empezar el ritual con aceite de rosas. Enciendes la vela. Cortas la manzana en dos pedazos y colocas uno en el búcaro de la rosa roja y otro en el de la rosa blanca. Enlaza con la cinta roja los dos búcaros. Los dejas toda la noche junto a la vela hasta que esta se consuma. Mientras realizas esta operación repite en tu mente: "Que la persona que está destinada a hacerme feliz aparezca en mi camino, la recibo y la acepto".

Cuando las rosas se sequen, junto con las mitades de las manzanas las entierras en tu patio o en una maceta con el cuarzo rosado.

Para Atraer un Amor Imposible

Necesitas:

- 1 rosa roja
- 1 rosa blanca
- 1 vela roja
- 1 vela blanca
- 3 velas amarillas
- Fuente de cristal
- Pentáculo # 4 de Venus

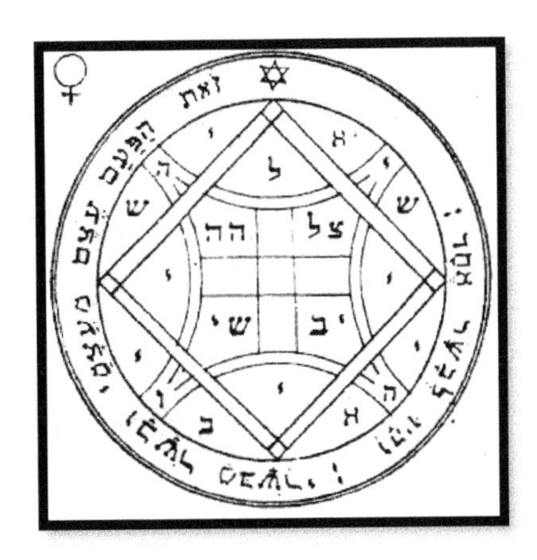

Pentáculo #4 de Venus.

Debes colocar las velas amarillas en forma de triángulo. Escribes por detrás del pentáculo de Venus tus deseos acerca del amor y el nombre de esa persona que quieres en tu vida, colocas la fuente encima del pentáculo en el medio. Enciendes la vela roja y la blanca y las pones en la fuente junto con las rosas. Repites esta frase: "Universo desvía hacia mi corazón la luz del amor de (nombre completo)".

Lo repites tres veces. Cuando se hayan apagado las velas llevas todo al patio y lo entierras.

Mejores rituales para la Salud

Martes 30 de enero 2024 (Dia de Marte). *Para protegerse, o recuperar la salud.*

Hechizo para proteger la Salud de nuestras Mascotas

Debes hervir agua mineral, tomillo, romero y menta. Cuando se enfríe colócalo en un envase atomizador delante de una vela verde y otra dorada.

Cuando las velas se consuman debes utilizar este atomizador sobre tu mascota durante nueve días. Principalmente sobre el pecho y el lomo.

Hechizo para mejorar Inmediatamente

Debes conseguir una vela blanca, una verde y otra amarilla.

Las consagrarás (de la base hacia la mecha) con esencia de pino y las colocarás encima de una mesa con un mantel azul clarito, en forma de triángulo.

En el centro, pondrás un pequeño recipiente de cristal con alcohol y una pequeña amatista.

En la base del recipiente un papel con el nombre de la persona enferma o foto con su nombre completo atrás y fecha de nacimiento.

Enciendes las tres velas y las dejas prendidas hasta que se consuman totalmente.

Mientras realizas este ritual visualiza a la persona completamente sana.

Hechizo para Adelgazar

Debes pincharte el dedo con un alfiler y en un papel blanco echar 3 gotas de tu sangre y una cucharada de azúcar, después cierras el papel envolviendo la sangre con el azúcar.

Colocas este papel en un envase de vidrio nuevo y sin dibujos, llenas el vaso hasta la mitad de tu orina, lo dejas toda la noche delante de una vela blanca y al otro día lo entierras.

Rituales para el Mes de Febrero

Febrero 2024

Domingo	Lunes	Martes	Miércoles	Jueves	Viernes	Sábado
				1	2	3
4	5	6	7	8	9 ● Luna Nueva	10
11	12	13	14	15	16	17
18	19	20	21	22	23 ○ Luna Llena	24
25	26	27	28	29		

Febrero 9, 2024 Luna Nueva Acuario 20°40'

Febrero 23, 2024 Luna Llena Virgo 5°22'

Mejores rituales para el dinero

9 de febrero 2024 (Dia de Venus). En esta fase se trabaja para acrecentar cualquier cosa o atraerla. En este ciclo hacemos peticiones de que llegue el amor, aumente el dinero en nuestras cuentas o nuestro prestigio laboral.

Ritual para Aumentar la Clientela. Luna Gibosa Creciente

Necesitas:

- *5 hojas de ruda*
- *5 hojas de verbena*
- *5 hojas de romero*
- *5 granos de sal gruesa de mar*
- *5 granos de café*
- *5 granos de trigo*
- *1 piedra imán*
- *1 bolsa blanca de tela*
- *Hilo rojo*
- *Tinta roja*
- *1 tarjeta del negocio*
- *1 maceta con una planta verde grande*
- *4 cuarzos citrina*

Coloca todos los materiales dentro de la bolsa blanca, a excepción del imán, la tarjeta y las citrinas. Seguidamente la coses con hilo rojo, después escribes en su exterior con tinta roja el nombre del negocio. Durante una semana completa deja la bolsa debajo del mostrador o en una gaveta de tu mesa de trabajo.

Pasado este tiempo la entierras en el fondo de la maceta junto a la piedra imán y la tarjeta del negocio. Para terminar encima de la tierra de la maceta coloca las cuatro citrinas en dirección de los cuatro puntos cardinales.

Hechizo para ser Próspero

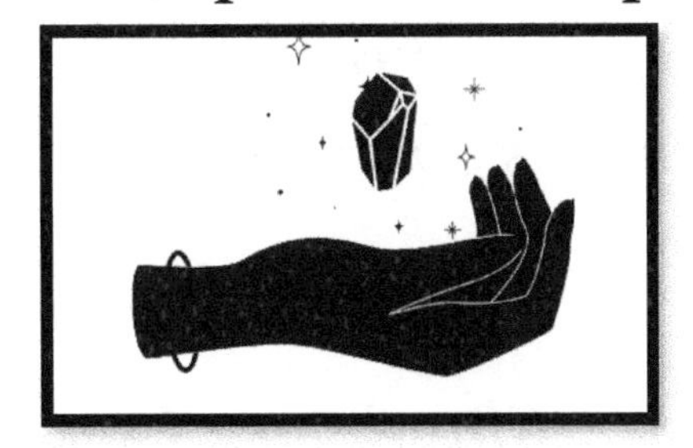

Necesitas:

- 3 piritas o cuarzo citrinas

- 3 monedas doradas

- 1 vela dorada

- 1 bolsita roja

El primer día de la Luna Nueva colocas una mesa cerca de una ventana; sobre la mesa colocarás las monedas y los cuarzos en forma de triángulo. Enciendes la vela, colócala en el medio y mirando al cielo repites tres veces la siguiente oración:

"Luna que iluminas mi vida, utiliza el poder que tienes para atraerme el dinero y haz que estas monedas se multipliquen".

Cuando la vela se haya consumido metes las monedas y los cuarzos con la mano derecha en la bolsita roja, llévalas siempre contigo, será tu talismán para atraer el dinero, nadie debe tocarla.

Mejores rituales para el Amor

11, 22, 25 de febrero 2024. Para hechizos o rituales relacionados con el amor, contratos, y asociaciones.

Ritual para Consolidar el Amor

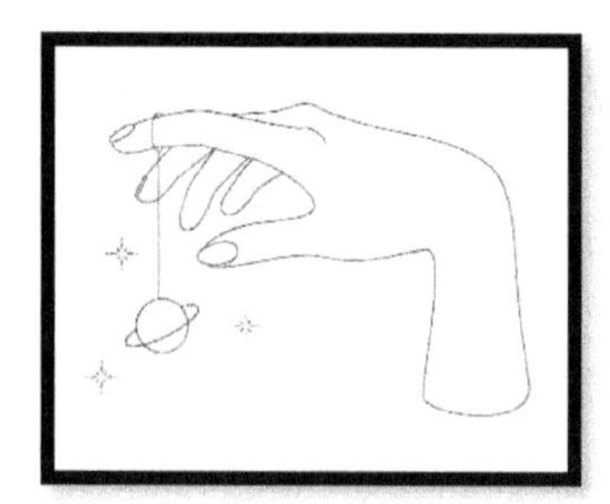

Este hechizo es más efectivo en la fase de Luna Llena.

Necesitas:
- 1 caja de madera
- Fotografías
- Miel
- Pétalos de rosas rojas
- 1 cuarzo amatista
- Canela en rama

Debes coger las fotografías, le escribes los nombres completos y las fechas de nacimiento, las colocas dentro de la cajita de forma que queden mirándose una a la otra.

Añades la miel, los pétalos de rosas, la amatista y la canela.

Colocas la cajita debajo de tu cama por trece días. Pasado este tiempo extrae la amatista de la cajita la lavas con agua de Luna.

La debes mantener contigo como amuleto para atraer ese amor que anhelas. El resto debes de llevarlo a un rio o un bosque.

Ritual para Rescatar un Amor en Decadencia

Necesitas:
- 2 velas rojas
- 1 trozo de papel amarillo
- 1 sobre rojo
- 1 lápiz rojo
- 1 foto de la persona amada y una foto tuya
- 1 recipiente de metal
- 1 cinta roja
- Aguja de coser nueva

Este ritual es más efectivo durante la fase de Luna Creciente y un viernes a la hora del planeta Venus o el Sol. Debes consagrar tus velas con aceite de rosas o canela.

Escribes en el papel amarillo con el lápiz rojo tu nombre y el de tu pareja. También escribes lo que deseas con palabras cortas pero precisas. Escribes los nombres en cada vela con la aguja de coser. Enciendes las velas y colocas el papel entre las fotos puestas cara a cara y las atas con la cinta. Quemas las fotos en la recipiente de metal con la vela que tiene tu nombre y repites en voz alta:

"Nuestro se fortalece por la fuerza del universo y de todas las energía que existen a través del tiempo".

Colocas las cenizas en el sobre y cuando las velas se consuman metes el sobre debajo de tu colchón en la parte de la cabecera.

Mejores rituales para la Salud

4,12,19 de febrero 2024. Períodos aconsejable para intervenciones quirúrgicas, dado que favorece la capacidad de sanación.

Ritual para la Salud

Debes hervir en una cazuela varios pétalos de rosas blancas, romero y ruda. Cuando se enfríe le agregas esencia de rosas y aceite de almendras. Enciendes cinco velas moradas en tu cuarto de baño, que previamente habrás consagrado con aceite de naranja

y eucalipto. En una vela debes escribir el nombre de la persona. Báñate con esta agua y mientras estés bañándote, tienes que visualizar que las enfermedades no se acercaran a ti ni, a tu familia.

Ritual para la Salud en la Fase de Luna Creciente

En un papel de aluminio colocarás sal marina, 3 dientes de ajo, cuatro hojas de laurel, cinco hojas de ruda, una turmalina negra y un papel con el nombre de la persona. Lo doblas y lo amarras con una cinta moradas. Lleva este amuleto contigo en el bolsillo de la chaqueta o el bolso.

Rituales para el Mes de Marzo

Marzo 2024

Domingo	Lunes	Martes	Miércoles	Jueves	Viernes	Sábado
					1	2
3	4	5	6	7	8	9
10 Luna Nueva	11	12	13	14	15	16
17	18	19	20	21	22	23
24 Luna Llena	25	26	27	28	29	30
31						

Marzo 10, 2024 Luna Nueva Piscis 20°16'

Marzo 24, 2024 Luna Llena Libra 5°07' (Eclipse Penumbral de Luna 5°13')

Mejores rituales para el dinero

8,10,22 de marzo 2024. Rituales relacionados con prosperidad y obtención de empleos.

Hechizo para tener Éxito en las Entrevistas de Trabajo.

Colocas en una bolsita verde tres hojas de salvia, albahaca, perejil y ruda. Agregas un cuarzo ojo de tigre y una malaquita.

Cierras la bolsita con una cinta dorada. Para activarla los pones en tu mano izquierda a la altura del corazón y luego unos centímetros arriba pones la mano derecha, cierras tus ojos y te imaginas una energía blanca salir de tu mano derecha hacia tu mano izquierda cubriendo la bolsita.

La mantienes en tu cartera o bolsillo.

Ritual para que el Dinero siempre esté Presente en tu Hogar.

Necesitas una botella de cristal blanco, frijoles negros, frijoles colorados, semillas de girasol, granos de maíz, granos de trigo y un sahumerio de mirra.

Introduces todo en la botella en ese mismo orden, la cierras con una tapa de corcho y le echas el humo del sahumerio. Después la colocas como decoración en tu cocina.

Hechizo Gitano para la Prosperidad

Consigue una maceta mediana de barro y las pintas de color verde. En el fondo pones un poco de mirra, una moneda y unas gotitas de aceite de oliva. Cúbrelo con una capa de tierra y colocas semillas de tu planta favorita. Añades canela y más tierra. Debes

tenerla en el comedor de tu casa y regarla para que crezca.

Mejores rituales para el amor

1, 17, 24, 29 de marzo 2024

Ritual para Alejar Problemas en la Relación

Este ritual debes practicarlo durante el Eclipse de Luna o en la fase de Luna Llena.

Necesitas:
- *1 cinta blanca*
- *1 tijeras nuevas*
- *1 bolígrafo de tinta roja*

Debes escribir en la cinta blanca con la tinta roja el problema que estás teniendo y el nombre de la persona. Después la picas en siete pedazos con las tijeras y mientras lo haces repites en alta voz:

“"Este es mi problema. Quiero que se vayas y no vuelvas nunca más. Por favor, aléjalo de mí. Así es".

Colocas todo dentro de una bolsa negra y entiérralo.

Amarre de Amor

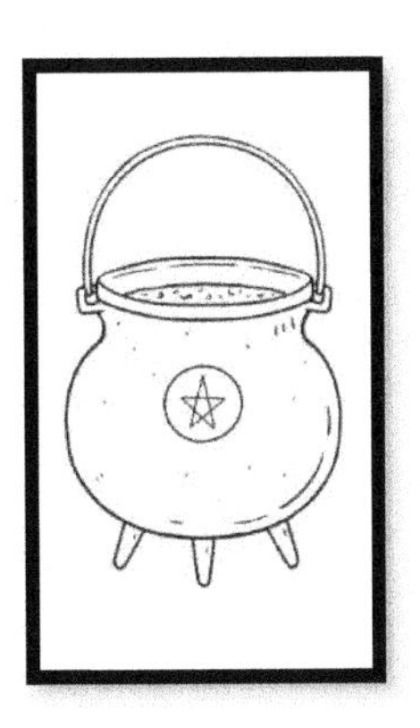

Necesitas:

- Hierba buena

- Albahaca

- Foto de la persona que amas que no tenga lentes y de cuerpo entero

- Foto tuya de cuerpo entero y sin lentes

- 1 pañuelo de seda amarillo

- 1 cajita de madera

Colocas dentro de la cajita las dos fotografías con el nombre escrito por atrás de cada uno. Le pones el pañuelo amarillo adentro y le esparces la albahaca y la hierba buena. Déjala expuesto a las energías de la Luna. Al día siguiente entiérralo en un lugar que nadie sepa, cuando estés abriendo el hoyo visualiza lo que deseas. Cuando llegue la Luna Llena desentierra la cajita y la botas en un rio o en el mar.

Mejores rituales para la Salud

Cualquier día, menos el sábado.

Hechizo contra la Depresión

Debes coger un higo con tu mano derecha y colocártelo en la parte izquierda de tu boca sin masticarlo o tragártelo. Después coges una uva con tu mano izquierda y lo colocas en la parte derecha de tu boca sin masticarla. Cuando ya tienes ambas frutas en la boca las muerdes a la misma vez y te los tragas, la fructuosa que emanan te dará energía y alegría.

Hechizo para Recuperación

Elementos Necesarios:

- *1 vela blanca o rosada*
- *Pétalos de la rosa*
- *Aceite de Eucalipto*
- *Aceite de limón*
- *Aceite de Naranja*

Debes escribir con una aguja de coser el nombre de la persona que necesita el hechizo. Consagra la vela con los aceites bajo la luna llena, mientras repites: "La tierra, el Aire, el Fuego, el Agua traen Paz, Salud, Alegría, y Amor a la vida de (dices el nombre de la persona)". Deja que la vela se consuma completamente. Los restos los puedes desechar en cualquier lugar.

Rituales para el Mes de Abril

Abril 2024

Domingo	Lunes	Martes	Miércoles	Jueves	Viernes	Sábado
	1	2	3	4	5	6
7	8 Luna Nueva	9	10	11	12	13
14	15	16	17	18	19	20
21	22 Luna Llena	23	24	25	26	27
28	29	30				

Abril 8, 2024 Luna Nueva y Eclipse Total de Sol en Aries 19°22'

Abril 22, 2024 Luna Llena Escorpion 23°:48'

Mejores rituales para el dinero

8, 7, 13, 22 de abril 2024

Hechizo Abre Caminos para la Abundancia.

Necesitas:

- Laurel

- Romero

- 3 monedas doradas

- 1 vela dorada

- vela plateada

- 1 vela blanca

Realizar después de las 24 horas de la Luna Nueva.

Pones las velas en forma de pirámide, le colocas una moneda al lado a cada una y las hojas de laurel y romero en el medio de este triángulo. Enciende las velas en este orden: primero la plateada, blanca y dorada. Repite esta invocación: "Por el poder de la energía purificadora y de la energía infinita yo invoco la ayuda de todas las entidades que me protegen para sanar mi economía".

Dejas que las velas se consuman totalmente y guardas las monedas en tu cartera; estas tres monedas no las puedes gastar. Cuando el laurel y el romero se sequen las quemas y pasas el humo de este sahumerio por tu hogar o negocio.

Mejores rituales para el Amor

2, 13, 17 de abril 2024

Amarre Marroquí para el Amor

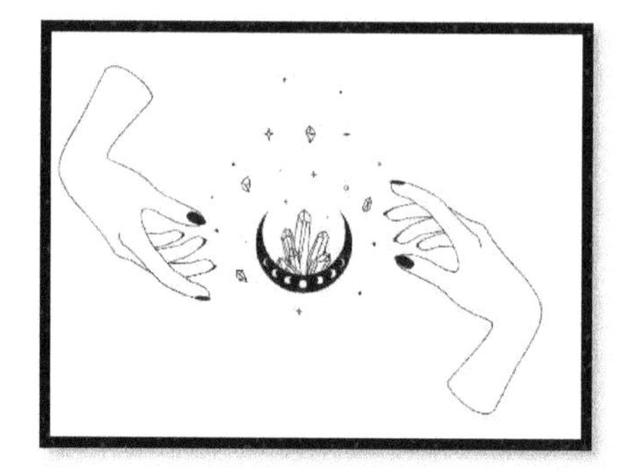

Necesitas:

- Saliva de la otra persona
- Sangre de la otra persona
- Tierra
- Agua de rosas
- 1 pañuelo rojo
- Hilo rojo

- 1 cuarzo rosado
- 1 turmalina negra

Debes colocar el pañuelo rojo sobre una mesa. Colocas la tierra encima del pañuelo y encima colocas la saliva, el cuarzo rosado, la turmalina negra y la sangre de la persona la cual quieres atraer. Rocías con agua de rosas todo y atas el pañuelo con el hilo rojo, cuidando que no se salgan los componentes. Debes enterrar este pañuelo.

Hechizo para Endulzar a la Persona Amada

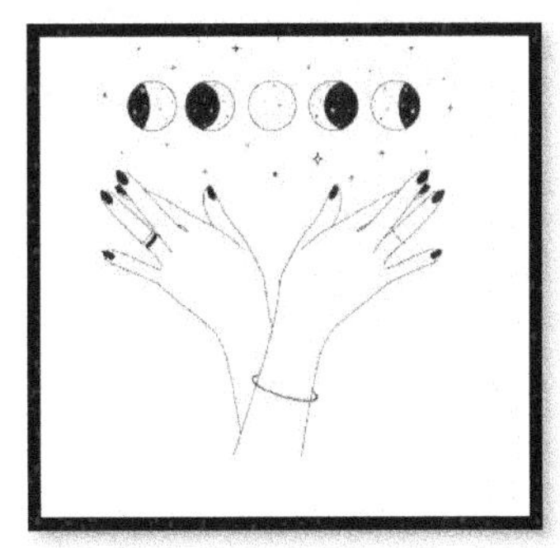

Escribes el nombre completo de la persona que amas y el tuyo encima de este siete veces en un papel cartucho (Brown paper). Este papel lo colocas dentro de una copa de cristal y le pones miel, canela, un cuarzo rosado y pedacitos de cascara de naranja. Mientras realizas el ritual repite en tu mente: "Te endulzo y entre nosotros reina solo el amor verdadero". Mantenlo en un lugar oscuro.

Mejores rituales para la Salud

13, 21, 27 de abril 2024.

Hechizo Romano para la Buena Salud

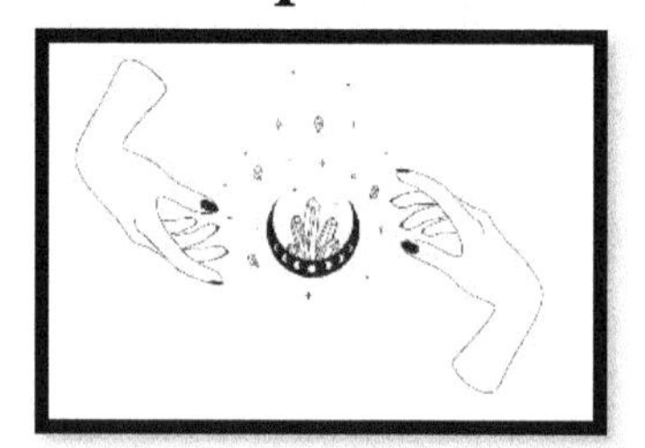

Debes juntar cinco hojas de romero, ruda y pétalos de rosas blancas y hervirlas. Colocas el preparado, cuando se enfríe, por tres horas encima del tercer pentáculo de Mercurio. Añádele esencia de sándalo, rosa y aceite de lavanda. Ofrézcale estos baños a los Ángeles de la Guarda del niño durante cinco días encendiendo una vela morada para transformar lo negativo en positivo que previamente debes consagrar con aceite de mandarina.

Tercer Pentáculo de Mercurio

Rituales para el Mes de Mayo

Mayo 2024

Domingo	Lunes	Martes	Miércoles	Jueves	Viernes	Sábado
			1	**2**	**3**	**4**
5	**6**	**7**	**8** Luna Nueva	**9**	**10**	**11**
12	**13**	**14**	**15**	**16**	**17**	**18**
19	**20**	**21**	**22** Luna Llena	**23**	**24**	**25**
26	**27**	**28**	**29**	**30**	**31**	

Mayo 8, 2024 Luna Nueva Tauro 18°01'

Mayo 22, 2024 Luna Llena Sagitario 2°54'

Mejores rituales para el dinero

6, 13, 21, 25 de mayo 2024

"Imán de Dinero" Luna Creciente

Necesitas:

- 1 copa de vino vacía

- 2 velas verdes

- 1 puñado de arroz blanco

- 12 monedas de curso legal

- 1 imán

- Arroz blanco

Enciendes las dos velas que deben estar situadas una a cada lado de la copa de vino. En el fondo de la copa pones el imán. Después coges un puñado de arroz blanco y lo depositas en la copa. Después colocas dentro de la copa las doce monedas. Cuando las velas se consuman hasta el final, colocas las monedas en la esquina de la prosperidad de tu casa o negocio.

Hechizo para Limpiar la Negatividad en tu Casa o Negocio.

Necesitas:
- *Cascarilla de un huevo*
- *1 ramo de flores blancas*
- *Agua sagrada o agua de Luna Llena*
- *Leche*
- *Canela en Polvo*
- *Cubo de limpiar nuevo*
- *Trapeador nuevo*

Empiezas barriendo tu casa o negocio de adentro hacia afuera de la calle repitiendo en tu mente que salga lo negativo y que entre lo positivo. Mezclas todos los ingredientes en el cubo y limpias el piso desde adentro hacia afuera de la puerta de la calle.

Dejas que el piso se seque y barres las flores hacia la puerta de la calle, las recoges y las botas en la basura junto con el cubo y el trapeador. No toques nada con tus manos. Debes hacerlo una vez a la semana, preferiblemente a la hora del planeta Júpiter.

Mejores rituales para el Amor

22 de mayo Luna Llena.

Lazo Irrompible de Amor

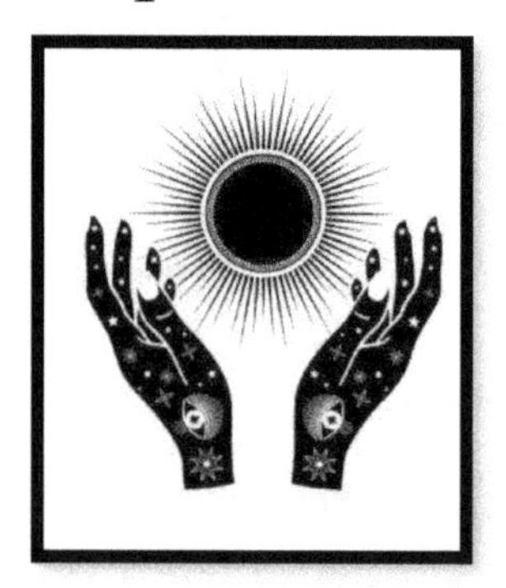

Necesitas:
- 1 cinta Verde
- 1 marcador rojo

Debes coger la cinta verde y escribir tu nombre completo y el de la persona que amas con tinta roja. Después escribes las palabras: amor, venus y pasión tres veces. Amarras la cinta a la cabecera de tu cama y cada noche haces un nudo por nueve noches consecutivas. Pasado este tiempo te amarras con tres nuditos la cinta en el brazo izquierdo. Cuando se rompa lo quemas y botas las cenizas en el mar o en un lugar donde corra el agua.

Ritual para que solo te Ame a Ti

Este ritual es más efectivo si lo realizas durante la fase de la Luna Gibosa Creciente y un viernes a la hora del planeta Venus.

Necesitas:
- 1 cucharada de miel
- 1 Pentáculo # 5 de Venus.
- 1 bolígrafo con tinta roja
- 1 vela blanca
- 1 aguja de coser nueva

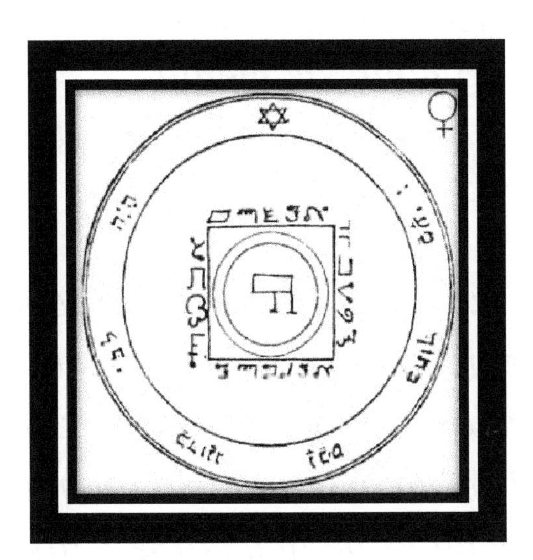

Pentáculo #5 de Venus.

Debes escribir por detrás del pentáculo de Venus con la tinta roja el nombre completo de la persona que amas y como deseas que ella se comporte contigo, debes ser especifico. Después lo mojas con la miel y lo enrollas en la vela de forma que se quede pegado. Lo aseguras con la aguja de coser. Cuando la vela se consuma entierras los restos y repites en alta voz: "El amor de (nombre) me pertenece solo a mí".

Té para Olvidar un Amor

Necesitas:
- 5 hojas de menta
- 1 cucharada de miel de abejas
- 3 ramitas de canela

En una taza de agua debes hervir todos los ingredientes, lo dejas reposar. Tómatelo pensando en todos los daños que esta persona te hizo. Los hombres deben tomarlo un martes o miércoles por la noche antes de acostarse y las mujeres los lunes o viernes antes de ir a la cama.

Ritual con tus Uñas para el Amor

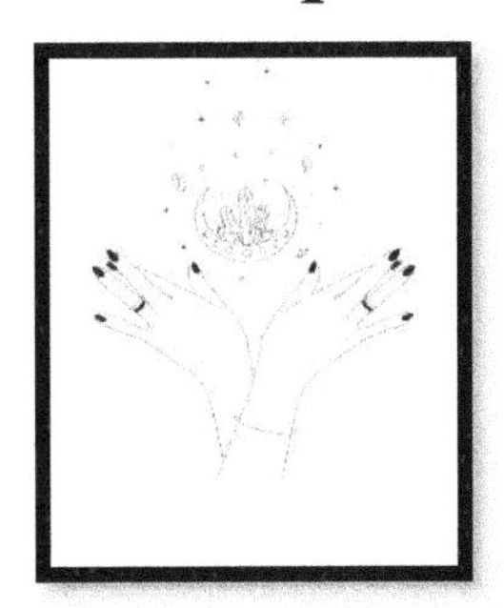

Debes cortarte las uñas de las manos y los pies y colocarlas en un recipiente de metal a fuego medio para que se tuesten todos los residuos de estas uñas. Lo sacas y los trituras hasta convertirlos en polvo. Este polvo se lo darás a tu pareja en la bebida o comida.

.

Mejores rituales para la Salud

Cualquier día de mayo 2024. Excepto los sábados.

Fórmula Mágica para tener una Piel Brillante

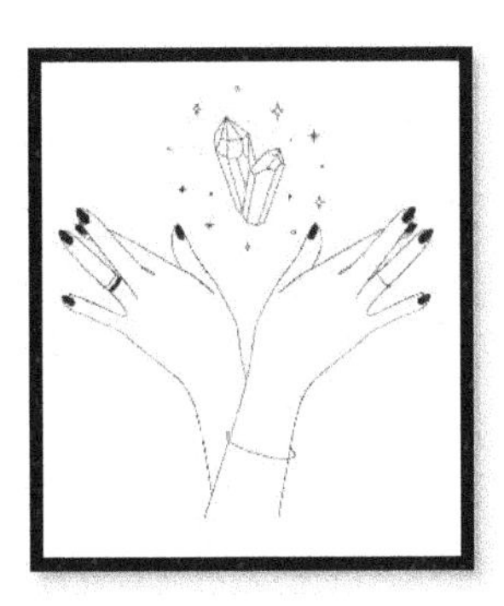

Mezclas ocho cucharadas de miel, ocho cucharaditas de aceite de oliva, ocho cucharadas de azúcar morena, una cáscara de limón rallada y cuatro gotas de limón. Cuando quede como una masa suave vas a

ponértela en todo el cuerpo haciéndote un masaje por cinco minutos.

Después te bañas y alternas aguas calientes y luego con agua fría.

Hechizo para Curar el Dolor de Muelas

Debes hacer con sal marina una estrella de cinco puntas, grande porque tienes que pararte en el centro de esta.

En cada punta colocas una vela negra y el símbolo del tetragrámaton (puedes imprimir la imagen), hojas de romero, laurel, cáscaras de manzana y hojas de lavanda.

Cuando sean las 12:00am te paras en el centro, enciendes las velas y repites:

sanus ossa mea sunt: et labia circa dentes meos

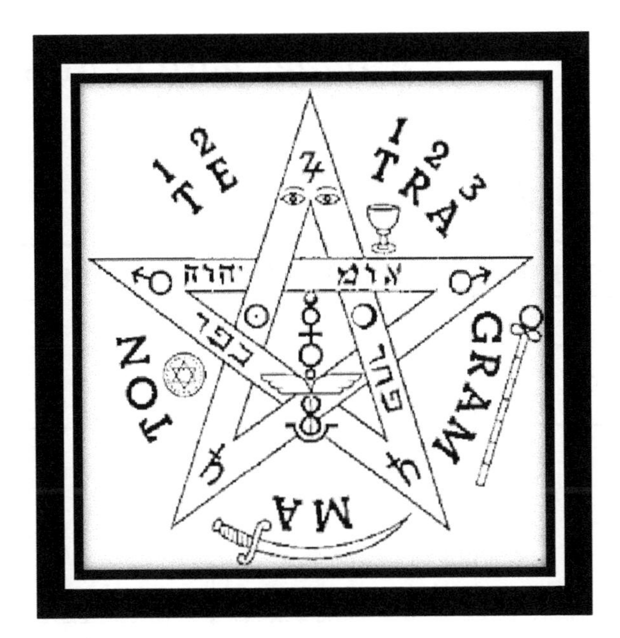

Símbolo del Tetragrámaton

Rituales para el Mes de Junio

Junio 2024

Domingo	Lunes	Martes	Miércoles	Jueves	Viernes	Sábado
						1
2	**3**	**4**	**5**	**6** Luna Nueva	**7**	**8**
9	**10**	**11**	**12**	**13**	**14**	**15**
16	**17**	**18**	**19**	**20** Luna Llena	**21**	**22**
23	**24**	**25**	**26**	**27**	**28**	**29**
30						

Junio 6, 2024 Luna Nueva Géminis 16°17'

Junio 20, 2024 Luna Llena Capricornio 1°06'

Mejores rituales para el dinero

6,13,20, 27 son jueves, días de Júpiter.

Hechizo Gitano para la Prosperidad

Consigue una maceta mediana de barro y las pintas de color verde. En el fondo pones un poco de mirra, una moneda y unas gotitas de aceite de oliva. Cúbrelo con una capa de tierra y colocas semillas de tu planta favorita. Añades canela y más tierra. Debes tenerla en el comedor de tu casa y regarla para que crezca.

Fumigación Mágica para mejorar la Economía de tu Hogar.

Debes encender tres carbones en un recipiente de metal o barro y agregarle una cucharada de canela,

romero y cáscaras de manzanas secas. Lo pasas por toda la casa caminando en el sentido de las agujas del reloj.

Después colocas en un cubo de agua pétalos de rosas blancas y lo dejas reposar por tres horas.

Con esta agua limpiarás tu hogar.

Esencia Milagrosa para Atraer Trabajo.

En una botella de cristal oscuro colocarás 32 gotas de alcohol, 20 gotas de agua de rosas, 10 gotas de agua de lavanda y unas hojas de jazmín.

Lo agitas varias veces pensando en lo que deseas atraer.

Lo pones en un difusor, puedes utilizarlo para tu casa, negocio o como perfume personal.

Hechizo para Lavarnos las Manos y Atraer Dinero.

Necesitas una recipiente de barro, miel y agua de Luna Llena.

Lávate las manos con este líquido, pero que el agua se quede dentro de la cazuela.

Después deja la ollita frente a un negocio próspero o casino de juegos de azar.

Mejores rituales para el Amor

Cualquier día de junio 2024. Excepto los sábados.

Ritual para Prevenir Separaciones

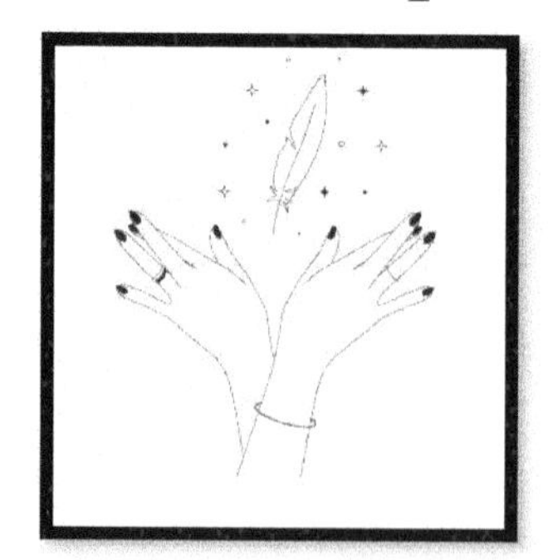

Necesitas:
- 1 maceta con flores rojas
- Miel
- Pentáculo # 1 de Venus
- 1 vela roja en forma de pirámide
- Fotografía de la persona amada
- 7 velas amarillas

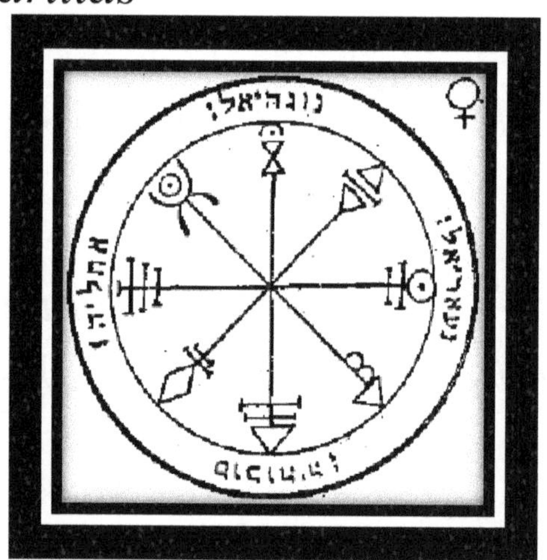

Pentáculo #1 de Venus.

Debes encender las siete velas amarillas en forma de círculo. Después escribes por detrás del pentáculo de Venus el siguiente conjuro:

“"Te ruego que me ames toda esta vida, mi querido amor" y el nombre de la otra persona. Este pentáculo lo entierras en la maceta después de doblarlo en cinco partes juntamente con la foto. Enciendes la vela roja y derramas la miel sobre la tierra de la maceta.

Mientras realizas esta operación repites en alta voz el siguiente conjuro: "Gracias al poder del Amor, oramos, por eso (nombre de la persona), con un sentido de amor verdadero que es el mío, se preserva para que nadie ni ninguna fuerza pueda separarnos".

Cuando las velas se consuman botas los restos en la basura. La maceta la mantienes a tu alcance y la cuidas.

Hechizo Erótico

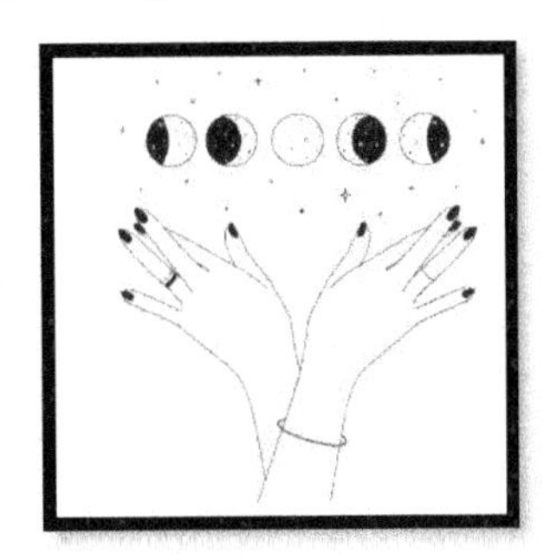

Debes conseguir una vela roja en forma de pene o vagina (dependiendo del sexo de quien practique el hechizo). Escribes el nombre de la otra persona en la misma.

Debes consagrarla con aceite de girasol y canela.

Debes encenderla una vez al día, dejándola que se queme solamente dos centímetros.

Cuando la vela se consuma totalmente colocas los restos dentro de una bolsita de tela roja junto con el pentáculo #4 de Marte.

Esta bolsita la debes mantener debajo de tu colchón por quince días.

Después de este tiempo la puedes botar en la basura.

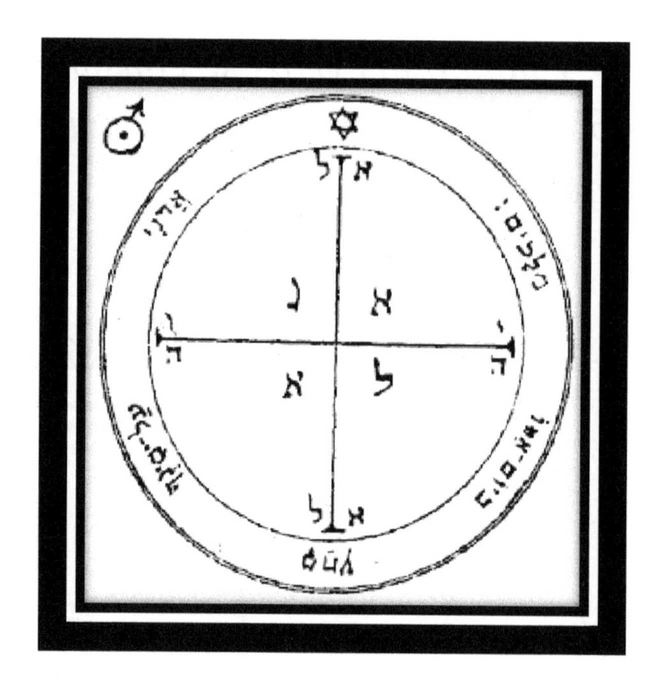

Pentáculo #4 Marte

Ritual con Huevos para Atraer

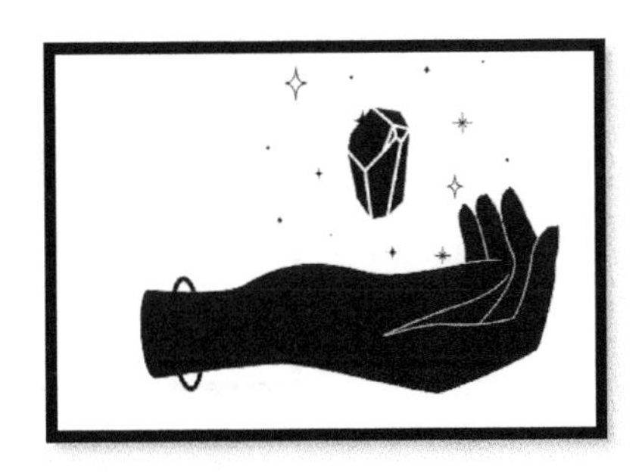

Necesitas:
- 4 huevos
- Pintura amarilla

Debes pintar los cuatro huevos de amarillo y escribir esta palabra "él viene a mí".

Coges dos huevos y los rompes en las esquinas delantera de la casa de la persona que quieres atraer.

Otro huevo lo rompes en el mismo frente de la casa de esta persona. Al tercer día botas el cuarto huevo en un rio.

Hechizo Africano para el Amor

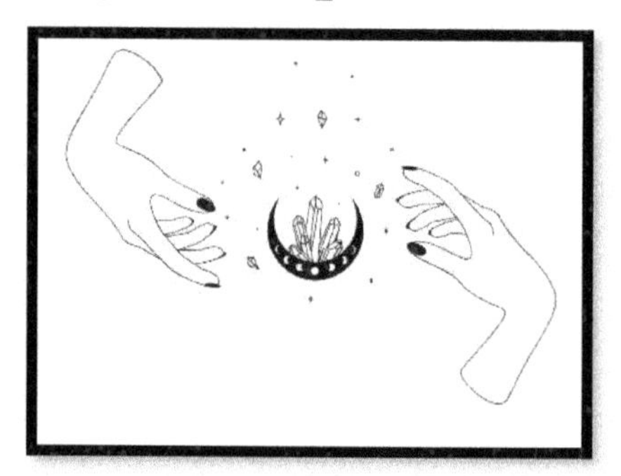

Necesitas:
- *1 huevo*
- *5 velas rojas*
- *1 pañuelo negro*
- *Calabaza*
- *Aceite de canela*
- *5 agujas de coser*
- *Miel de abejas*
- *Aceite de Oliva*
- *5 pedazos de masa de pan*
- *Pimienta de guinea*

Abres un orificio en la calabaza, después que hayas escrito el nombre completo de la persona que quieres atraer en un papel cartucho, lo introduces dentro de la misma.

Atraviesas la calabaza con las agujas repitiendo el nombre de esta persona. Echas los demás ingredientes dentro de la calabaza y la envuelves en el pañuelo negro. Dejas la calabaza así envuelta por cinco días enfrente de las velas rojas, una por día. Al sexto día entierras la calabaza en la orilla de un rio.

Mejores rituales para la Salud

Cualquier día de junio 2024

Hechizo para Adelgazar

Debes pincharte el dedo con un alfiler y en un papel blanco echar 3 gotas de tu sangre y una cucharada de azúcar, después cierras el papel envolviendo la sangre con el azúcar.

Colocas este papel en un envase de vidrio nuevo y sin dibujos, llenas el vaso hasta la mitad de tu orina, lo dejas toda la noche delante de una vela blanca y al otro día lo entierras.

Hechizo para Mantener la Buena Salud

Elementos necesarios.

- *1 vela blanca.*
- *1 estampita del Ángel de tu devoción.*
- *3 inciensos de sándalo.*
- *Carbones vegetales.*
- *Hierbas secas de eucalipto y albahaca.*
- *Un puñado de arroz, un puñado de trigo.*
- *1 plato blanco o una bandeja.*
- *8 Pétalos de rosas de color rosa.*
- *1 frasco de perfume, personal.*
- *1 cajita de madera.*

Debes limpiar el ambiente encendiendo los carbones vegetales en un recipiente de metal. Cuando los carbones estén bien encendidos, les colocarás poco a poco las hierbas secas y recorrerás la habitación con el recipiente, para que se eliminen las energías negativas.

Terminado el sahumerio debes abrir las ventanas para que se disipe el humo.

Prepara un altar encima de una mesa cubierta de un mantel blanco. Coloca encima de ella la estampita escogida y alrededor colocas los tres inciensos en forma de triángulo. Debes consagrar la vela blanca, después la enciendes y la pones frente al ángel juntamente con el perfume destapado.

Debes estar relajado, para eso debes concentrarte en tu respiración. Visualiza a tu ángel y agradécele por toda la buena salud que tienes y la que tendrás siempre, este agradecimiento tiene que salir de lo profundo de tu corazón.

Después de haber realizado el agradecimiento, le entregarás a manera de ofrenda el puñado de arroz y el puñado de trigo, que debes colocar dentro de la bandeja o plato blanco.

Dispersa sobre el altar todos los pétalos de rosas, dando nuevamente gracias por los favores recibidos. Terminado el agradecimiento dejarás la vela encendida hasta que se consuma totalmente. Lo último que debes hacer es juntar todos los restos de vela, de los sahumerios, el arroz y el trigo, y colocarlos en una bolsa de plástico y la botarás en un lugar donde haya árboles sin la bolsa.

La estampita del ángel junto con los pétalos de rosa colócalas dentro de la caja y ubícala en un lugar seguro de tu casa. El perfume energizado, lo utilizas usará cuando sientas que las energías están bajando, a la vez que visualizas a tu ángel y le pides su protección.

Baño de Protección antes de una Operación Quirúrgica

Elementos necesarios:

- *Campana Morada*
- *Agua de Coco*
- *Cascarilla*
- *Colonia 1800*
- *Siempre Viva*
- *Hojas de Menta*
- *Hojas de Ruda*

- Hojas de Romero

- Vela Blanca

- Aceite de Lavanda

Hierves todas las plantas en el agua de coco, cuando se enfríe lo cuelas y le agregas la cascarilla, colonia, el aceite de lavanda y enciendes la vela en la parte oeste de tu cuarto de baño. Viertes la mezcla en el agua del baño. Sino tienes bañera te lo echas encima y no te secas.

Rituales para el Mes de Julio

Julio 2024

Domingo	Lunes	Martes	Miércoles	Jueves	Viernes	Sábado
	1	2	3	4	5	6 Luna Nueva
7	8	9	10	11	12	13
14	15	16	17	18	19	20 Luna Llena
21	22	23	24	25	26	27
28	29	30	31			

Julio 6, 2024 Luna Nueva Cáncer 14°23'

Julio 20, 2024 Luna Llena Capricornio 29°08'

Mejores rituales para el dinero

6,20 y 22 de Julio, el Sol entra en Leo.

Limpieza para Conseguir Clientes.

Machacas en un mortero diez avellanas sin cáscara y un ramito de perejil.

Hierves dos litros de agua de Luna Llena y agrégale los ingredientes que machacaste. Déjalos hervir por 10 minutos y luego cuélalo.

Con esta infusión limpiarás el piso de tu negocio, desde la puerta de entrada hasta el fondo de este.

Debes repetir esta limpieza todos los lunes y jueves por espacio de un mes, de ser posible a la hora del planeta Mercurio.

Atrae a la Abundancia Material. Luna en Cuarto Creciente

Necesitas:

- 1 moneda de oro o un objeto de oro, sin piedras.

- 1 moneda de cobre

- 1 moneda de plata

Durante una noche de Luna Cuarto Creciente con las monedas en tus manos, dirígete a un lugar donde los rayos de la Luna las iluminen.

Con las manos en alto vas a repetir: "Luna ayúdame a que mi fortuna siempre crezca y la prosperidad siempre me acompañe".

Haz que las monedas suenen dentro de tus manos.

Después las guardarás en tu cartera. Puedes repetir este ritual todos los meses.

Hechizo para Crear un Escudo Económico para tu Negocio o trabajo.

Necesitas:
- 5 pétalos de flores amarillas
- Semillas de girasol
- Cáscara de un limón secada al sol
- Harina de trigo
- 3 monedas de uso corriente

Trituras en un mortero las flores amarillas y las semillas de girasol, después le agregas la cáscara de limón y la harina de trigo.

Mezclas bien los ingredientes y los guardas junto con las tres monedas en un frasco herméticamente cerrado.

Este preparado lo debes usar todas las mañanas antes de salir de tu casa.

Debes introducir en el frasco las yemas de los cinco dedos de la mano izquierda primero y de la derecha después, luego te lo frotas en las palmas de las manos.

Mejores rituales para el Amor

Cualquier día de Julio.

Hechizo para Obtener Dinero Express.

Este hechizo es más efectivo si lo realizas un jueves.

Vas a llenar una fuente de cristal con arroz.

Después enciendes una vela verde (la cual previamente debes haber consagrado) y la colocas en el centro de la fuente.

Enciendes el incienso de canela y rodeas la fuente con su humo a favor de las manecillas del reloj seis veces.

Mientras realizas este procedimiento repites mentalmente: "Abro mi mente y mi corazón a la riqueza.

La abundancia llega a mí, ahora y todo está bien.

El universo está irradiando riqueza a mi vida, ahora". Los restos los puedes desechar en la basura.

Baño para Atraer Ganancias Económicas

Necesitas:

- 1 planta de ruda

- Agua florida

- 5 flores amarillas

- 5 cucharadas de miel de abeja

- 5 palitos de canela

- 5 gotas de esencia de sándalo

- 1 varita de incienso de sándalo

El primer día de Luna Creciente durante una hora favorable para la prosperidad, hierve todos los ingredientes por cinco minutos, con excepción del Aguaflorida y el incienso. Divide este baño porque lo debes hacer por cinco días. El que no utilices lo debes conservar en frio. Añade un poco de Aguaflorida a la preparación y enciende el incienso. Báñate y enjuágate como de rutina. Lentamente dejas caer el preparado desde tu cuello hasta los pies. Realiza lo anterior durante cinco días consecutivos.

Mejores rituales para la Salud

Cualquier día de Julio.

Hechizo para un Dolor Crónico.

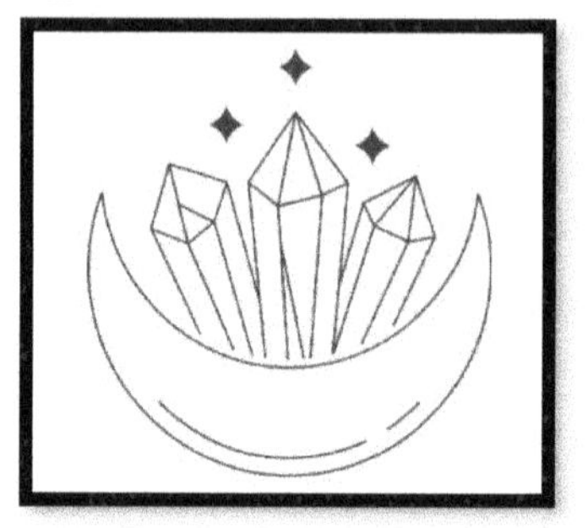

Elementos Necesarios:

- *1 vela dorada*
- *1 vela blanca*
- *1 vela verde*
- *1 Turmalina negra*
- *1 foto suya u objeto personal*
- *1 vaso con agua de Luna*
- *Fotografía de la persona u objeto personal*

Coloca las 3 velas en forma de triángulo y en el centro ubicas la foto o el objeto personal. Pones el vaso con agua de Luna encima de la foto y le echas la turmalina adentro. Luego enciendes las velas y repites el siguiente conjuro: "enciendo esta vela para lograr mi restablecimiento, invocando mis fuegos internos y a las salamandras y ondinas protectoras, para trasmutar este dolor y malestar en energía sanadora de salud y bienestar. Repite esto oración 3 veces. Cuando termines la oración coges el vaso, sacas la turmalina y botas el agua a un desagüe de la casa, apaga las velas con tus dedos y guárdelas para repetir este hechizo hasta que te recuperes totalmente. La turmalina la puedes utilizar de amuleto para la salud.

Hechizo para mejorar Inmediatamente

Debes conseguir una vela blanca, una verde y otra amarilla. Las consagrarás (de la base hacia la mecha) con esencia de pino y las colocarás encima de una mesa con un mantel azul clarito, en forma de triángulo. En el centro, pondrás un pequeño recipiente de cristal con alcohol y una pequeña amatista. En la base del recipiente un papel con el

nombre de la persona enferma o foto con su nombre completo atrás y fecha de nacimiento. Enciendes las tres velas y las dejas prendidas hasta que se consuman totalmente. Mientras realizas este ritual visualiza a la persona completamente sana.

Rituales para el Mes de Agosto

Agosto 2024

Domingo	Lunes	Martes	Miércoles	Jueves	Viernes	Sábado
				1	2	3
4 Luna Nueva	5	6	7	8	9	10
11	12	13	14	15	16	17
18 Luna Llena	19	20	21	22	23	24
25	26	27	28	29	30	31

Agosto 4, 2024 Luna Nueva Leo 12°33'

Agosto 18, 2024 Luna Llena Acuario 27°14'

Mejores rituales para el dinero

4,5 de agosto 2024

Espejo mágico para el Dinero. Luna Llena

Consigue un espejo de 40 a 50 cm de diámetro y píntale el marco de negro. Lavas el espejo con agua sagrada y cúbrelo con un paño negro.

En la primera noche de Luna Llena exponlo a los rayos de la Luna de forma que puedas ver el disco lunar completo en el espejo. Pídele a la luna que consagre este espejo para que ilumine tus deseos.

La próxima noche de Luna Llena dibuja con un creyón de labios el símbolo del dinero 7 veces ($$$$$$$).

Cierras los ojos y visualízate con toda la abundancia material que deseas. Deja los símbolos dibujados hasta la mañana siguiente.

Después limpias el espejo hasta que no existan rastros de la pintura que hayas empleado, utilizando agua sagrada. Guarda de nuevo tu espejo en un lugar que nadie lo toque.

Deberás recargar la energía del espejo tres veces al año con Lunas Llenas para poder repetir el hechizo.

Si haces esto en una hora planetaria que tenga que ver con la prosperidad le estarás agregando una super energía a tu intención.

Ritual para Acelerar las Ventas. Luna Nueva

Esta es una receta eficaz para la protección del dinero, la multiplicación de las ventas en tu negocio y la sanación energética del lugar.

Necesitas:

-1 vela verde
-1 moneda
- sal marina
-1 pizca de pimienta picante

Debes realizar este ritual un jueves o Domingo a la hora del planeta Júpiter o del Sol.

No debe haber más personas en el local del negocio.

Enciende la vela y a su alrededor, en forma de triángulo, coloca la moneda, un puñado de sal y la pizca de pimienta picante.

Es primordial que ubiques a la derecha la pimienta y a la izquierda el puñado de sal. La moneda debe estar en la punta superior de la pirámide.

Quédate durante unos minutos delante de la vela y visualiza todo lo que estas deseando referente a prosperidad.

Los restos puedes botarlos, la moneda la conservas en tu lugar de negocio como protección.

Mejores rituales para el Amor

Cualquier viernes, día de Venus.

Mejores rituales para el Amor

7,14, 21,28, 31 de Julio.

Hechizo para Hacer que Alguien Piense en Ti

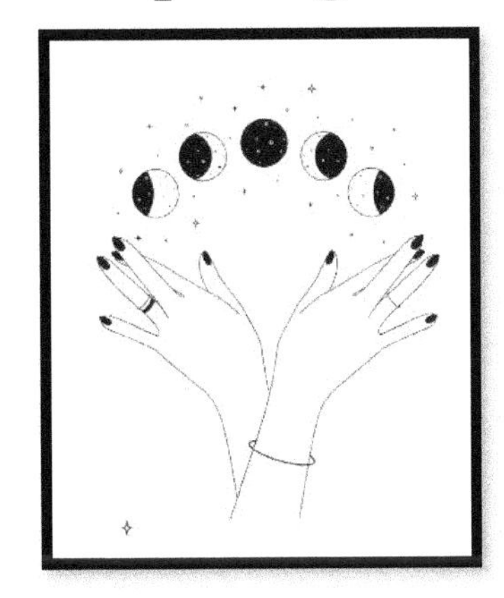

Consigue un espejito del que utilizamos las mujeres para maquillarnos y colocas una fotografía tuya detrás del espejo.

Después coges una fotografía de la persona que quieres que pienses en ti y la colocas boca abajo frente al espejo (de forma que las dos fotos queden mirándose con el espejo entre ellas).

Envuelves el espejo con un pedazo de tela roja y lo atas con un hilo rojo de forma que queden seguros y que las fotografías no puedan moverse.

Esto debes colocarlo debajo de tu cama bien escondido.

Hechizo para Transformarte en Imán

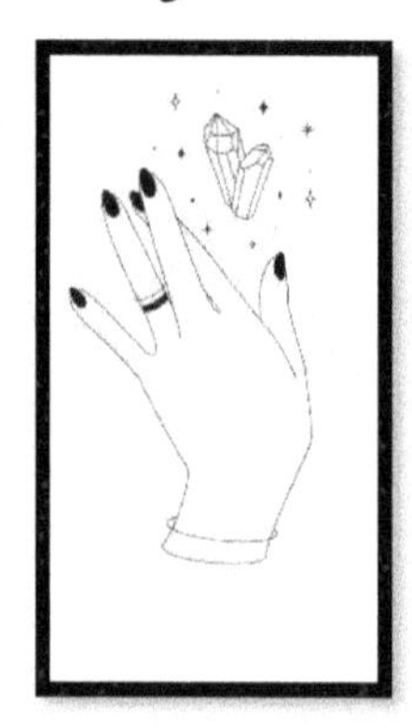

Para tener un aura magnética y atraer las mujeres o los hombres debes confeccionar una bolsita amarilla que contenga el corazón de una paloma blanca y los ojos de una jicotea en polvo.

Esta bolsita debes portarla en tu bolsillo derecho si eres hombre.

Las mujeres usaran esta misma bolsita, pero dentro del sostenedor (brasier) en la parte izquierda.

Mejores rituales para la Salud

23 de agosto, el Sol entra en Virgo.

Baño Ritual con Hierbas Amargas

Este ritual se utiliza cuando la persona ha sido hechizada tan poderosamente que su vida está en peligro.

Elementos Necesarios:

- *7 Hojas de Mirto*
- *Jugo de granada*
- *Leche de cabra*
- *Sal de mar*
- *Agua sagrada*
- *Cascarilla*
- *8 Hojas de la planta rompe muralla*

Debes echar la leche de cabra en un envase grande, le agregas el jugo de granada, agua sagrada, las plantas, la sal de mar y la cascarilla.

Dejas por tres horas este preparado delante de una vela blanca y después te lo echas sobre la cabeza. Debes dormir así y al otro día enjuagarte.

Rituales para el Mes de Septiembre

Septiembre 2024

Domingo	Lunes	Martes	Miércoles	Jueves	Viernes	Sábado
1	**2**	**3** Luna Nueva	**4**	**5**	**6**	**7**
8	**9**	**10**	**11**	**12**	**13**	**14**
15	**16**	**17** Luna Llena	**18**	**19**	**20**	**21**
22	**23**	**24**	**25**	**26**	**27**	**28**
29	**30**					

Septiembre 3, 2024 Luna Nueva Virgo 11°03'

Septiembre 17, 2024 Luna Llena y Eclipse Parcial Piscis 25°40'

Mejores rituales para el dinero

3,13,20 de septiembre 2024

Ritual para Obtener Dinero en Tres Días.

Consigue cinco ramas de canela, una cáscara seca de naranja, un litro de agua de Luna Llena y una vela plateada. Hierve la canela y la cascara de naranja en el agua de Luna. Cuando se enfríe colócala en un pomo atomizador. Enciende la vela en la parte norte de la sala de tu casa y rocía todas las habitaciones con el líquido. Mientras lo haces repites en tu mente: "Guías Espirituales protejan mi hogar y permitan que yo reciba el dinero que necesito inmediatamente".

Cuando termines, dejas encendida la vela.

Dinero con un Elefante Blanco

Compra un elefante blanco con la trompa hacia arriba.

Colócalo dirigido al interior de tu casa o negocio, nunca de frente a las puertas.

El primer día de cada mes, coloca un billete del valor más bajo en la trompa del elefante, doblado en dos a lo largo y repite: "Que esto se duplique por 100"; después lo vuelves a doblar a lo ancho y repite: "Que esto se me multiplique por mil".

Despliega el billete y déjalo en la trompa del elefante hasta el siguiente mes.

Repite el ritual, cambiando de billete.

Ritual para Ganar la Lotería.

Necesitas:
- 2 velas verdes
- 12 monedas. (representan los doce meses del año)
- 1 mandarina
- Canela en rama
- Pétalos de 2 rosas rojas
-1 frasco de cristal de boca ancha y con tapa
-1 billete de lotería viejo
- Agua de Luna Llena

En el frasco colocarás la mandarina, a su alrededor el billete de lotería, las monedas, los pétalos y la canela, lo cubres con el agua de Luna y lo tapas. Sobre la tapa del frasco colocas la vela y la enciendes. Al día siguiente reemplazarás la vela por una nueva y al tercer día destaparás el recipiente, botas todo excepto las monedas, que te servirán de amuleto. Guarda una en tu cartera y las otras once las dejas en tu casa. Al finalizar el año debes gastar las monedas.

Mejores rituales para el Amor

Cualquier viernes de septiembre 2024

Ritual para Eliminar las Discusiones

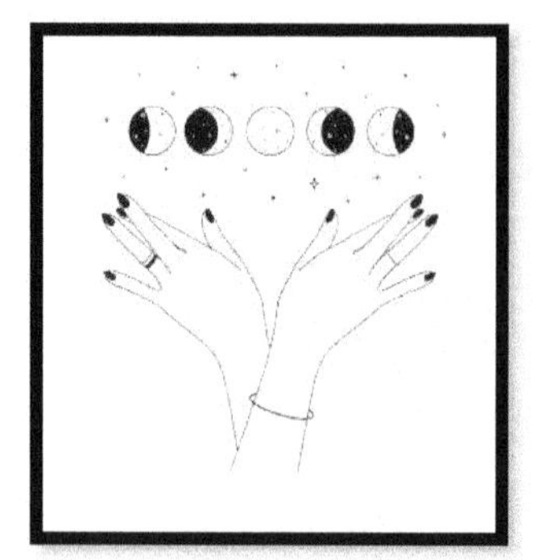

Debes escribir en un papel los nombres completos tuyo y de tu pareja. Lo colocas debajo de una pirámide de cuarzo rosado y repites en tu mente: "Yo (tu nombre) estoy en paz y armonía con mi pareja (nombre de tu pareja), el amor nos envuelve ahora y siempre".

Esta pirámide con los nombres la debes mantener en la zona del amor en tu hogar. La esquina del fondo a la derecha desde la puerta de entrada es la zona de las parejas, del amor, matrimonio o relaciones.

Ritual para ser Correspondido en el Amor

Por un periodo de cinco días y a la misma hora debes de hacer una pirámide en el suelo con pétalos de rosas rojas. En una vela verde escribes el nombre de la persona que quieres que te corresponda en el amor, la enciendes y la colocas en el centro de la pirámide, encima del pentáculo #3 de Venus.

Te sientas enfrente de esta pirámide y repites mentalmente: "Invoco todas las fuerzas elementales del universo para que (nombre de la persona) corresponda a mi amor". Pasado este tiempo puedes botar los restos de las velas en la basura y el pentáculo debes quemarlo.

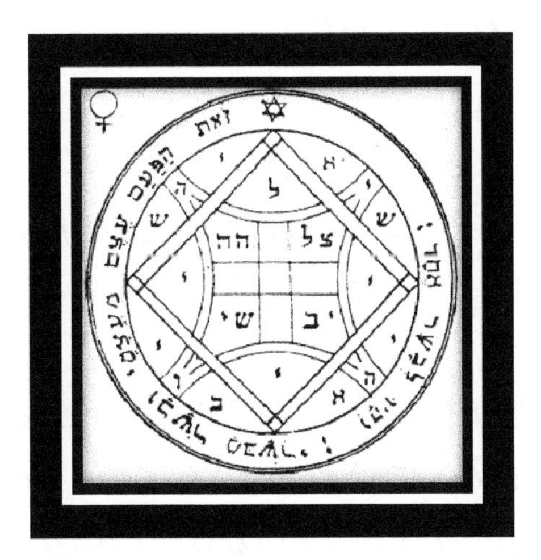

Pentáculo # 3 Venus.

Mejores rituales para la Salud

Cualquier día de septiembre. Preferiblemente lunes y viernes.

Baño Curativo

Elementos necesarios:

- *Berenjena*
- *Salvia*
- *Ruda*
- *Aguardiente*
- *Cascarilla*
- *Agua Florida*
- *Agua de Lluvia*
- *Vela Verde (si es en forma piramidal más efectiva)*

Este baño es más efectivo si lo realizas un domingo a la hora del Sol o Júpiter. Cortas la berenjena en pedazos chiquitos y la colocas en una cazuela grande.

Después hierves la salvia y la ruda en el agua de lluvia. Cuelas el líquido sobre los pedazos de berenjena, añades el Aguaflorida, el aguardiente, la cascarilla y enciendes la vela. Viertes la mezcla dentro del agua para tu baño. Si no tienes bañera te lo echas arriba y te secas con el aire, es decir no utilizas la toalla.

Baño de Protección antes de una Operación Quirúrgica

Elementos necesarios:

- *Campana Morada*
- *Agua de Coco*
- *Cascarilla*
- *Colonia 1800*
- *Siempre Viva*
- *Hojas de Menta*
- *Hojas de Ruda*
- *Hojas de Romero*

- Vela Blanca
- Aceite de Lavanda

Este baño es más efectivo si lo realizas un jueves a la hora de la Luna o Marte.

Hierves todas las plantas en el agua de coco, cuando se enfríe lo cuelas y le agregas la cascarilla, colonia, el aceite de lavanda y enciendes la vela en la parte oeste de tu cuarto de baño.

Viertes la mezcla en el agua del baño. Sino tienes bañera te lo echas encima y no te secas.

Rituales para el Mes de Octubre

Octubre 2024

Domingo	Lunes	Martes	Miércoles	Jueves	Viernes	Sábado
		1	2 Luna Nueva	3	4	5
6	7	8	9	10	11	12
13	14	15	16 Luna Llena	17	18	19
20	21	22	23	24	25	26
27	28	29	30	31		

Octubre 2, 2024 Eclipse Anular de Sol en Libra y Luna Nueva 10°02'

Octubre 16, 2024 Luna Llena Aries 24°34'

Mejores rituales para el dinero

2, 17,31 de octubre 2024.

Hechizo con Azúcar y Agua de Mar para Prosperidad.

Necesitas:

- *Agua de Mar*
- *3 cucharadas de azúcar*
- *1 Copa azul de cristal*

Llena la copa con agua de mar y el azúcar, déjala a la intemperie la primera noche de Luna Llena y la retiras del sereno a las 6:00 am.

Después abres las puertas de tu casa y comienzas a regar el agua azucarada desde la entrada hacia el fondo, utiliza una botella atomizador, mientras lo haces debes repetir en tu mente: "Atraigo a mi vida toda la prosperidad y la riqueza que el universo sabe que merezco, gracias, gracias, gracias".

La Canela

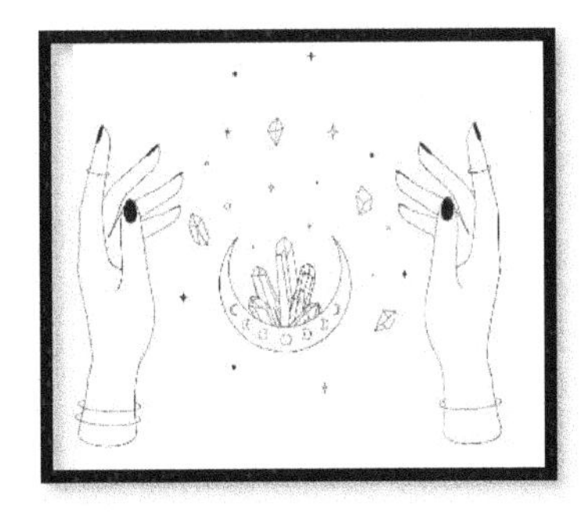

Se utiliza para purificar el cuerpo. En ciertas culturas se cree que su poder consiste en ayudar a la inmortalidad. Desde el punto de vista mágico, la canela está vinculada al poder de la Luna por su tendencia femenina.

Ritual para Atraer Dinero Instantáneamente.

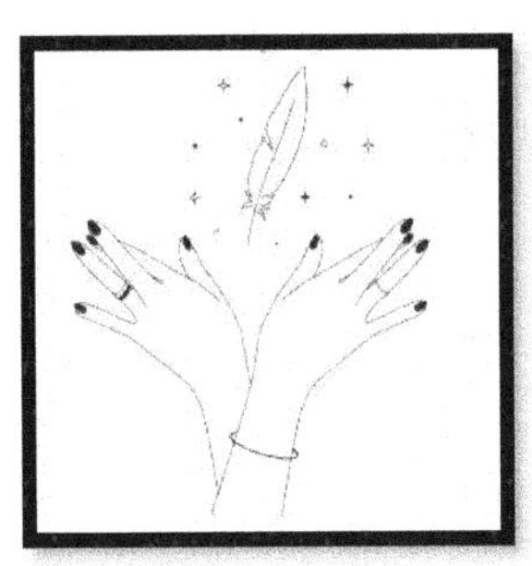

Necesitas:
- 5 ramas de canela
- 1 cáscara seca de naranja
- 1 litro de agua sagrada
- 1 vela verde

Coloca la canela, la cáscara de naranja y el litro de agua a hervir, después deja la mezcla reposar hasta que se enfríe. Vierte el líquido en un rociador (aerosol).

Enciende la vela en la parte norte de la sala de tu casa y rocía todas las habitaciones mientras repites: "Ángel de la Abundancia invoco tu presencia en esta casa para que no falte nada y siempre tengamos más de lo que necesitamos".

Cuando termines da las gracias tres veces y deja encendida la vela.

Puedes realizarlo un domingo o jueves a las horas del planeta Venus o Júpiter.

Mejores rituales para el Amor

Cualquier día de octubre 2024.

Hechizo Para Olvidar un Antiguo Amor

Necesitas:

- 3 velas amarillas en forma de pirámide
- Sal marina
- Vinagre blanco
- Aceite de oliva
- Papel amarillo

- 1 bolsita negra

Este ritual es más efectivo si lo realizas en la fase de la Luna Menguante.

Escribirás en el centro del papel el nombre de la persona que deseas se aleje de tu vida con el aceite de oliva.

Después colocas encima del mismo las velas en forma de pirámide.

Mientras realizas esta operación repite en tu mente: "Mi ángel de la guarda cuida mi vida, ese es mi deseo y se hará realidad".

Cuando las velas se consuman envolverás todos los restos en el mismo papel y lo rociarás con el vinagre.

Después lo colocas en la bolsita negra y lo botas en un lugar alejado de tu casa, preferiblemente que haya árboles.

Hechizo para Atraer tu Alma Gemela

Necesitas:
- Hojas de romero
- Hojas de perejil
- Hojas de albahaca
- Recipiente de metal
- 1 vela roja en forma de corazón
- Aceite esencial de canela
- 1 corazón dibujado en un papel rojo
- Alcohol
- Aceite de lavanda

Debes consagrar primero la vela con el aceite de canela, después la enciendes y la colocas al lado de la recipiente de metal. Mezclas en la recipiente todas las plantas. Escribes en el corazón de papel todas las características de la persona que deseas en tu vida, escribes los detalles. Échale cinco gotas del aceite de lavanda al papel y colócalo dentro de la recipiente. Rocíalo con el alcohol y préndele fuego. Todos los restos debes de esparcirlos a la orilla del mar, mientras lo haces concéntrate y pides que esa persona llegue a tu vida.

Ritual para atraer el Amor

Necesitas
- Aceite de rosas
- 1 cuarzo rosado
- 1 manzana
- 1 rosa roja en un búcaro chiquito
- 1 rosa blanca en un búcaro chiquito
- 1 cinta roja larga
- 1 vela roja

Para mayor efectividad este ritual debe ser realizado un viernes o domingo a la hora del planeta Venus o Júpiter.

Debes consagrar la vela antes de empezar el ritual con aceite de rosas. Enciendes la vela. Cortas la manzana en dos pedazos y colocas uno en el búcaro de la rosa roja y otro en el de la rosa blanca. Enlaza con la cinta roja los dos búcaros. Los dejas toda la noche junto a la vela hasta que esta se consuma. Mientras realizas esta operación repite en tu mente: "Que la persona que está destinada a hacerme feliz aparezca en mi camino, la recibo y la acepto". Cuando las rosas se sequen, junto con las mitades de las manzanas las entierras en tu patio o en una maceta con el cuarzo rosado.

Mejores rituales para el Salud

Todos los domingos de octubre 2024

Ritual para Aumentar la Vitalidad

Sumergir en un cubo de agua una pirámide de aluminio durante 24 horas. Al día siguiente después de tu baño regular, enjuágate con esta agua. Este ritual lo puedes realizar una vez por semana.

Rituales para el Mes de Noviembre

Noviembre 2024

Domingo	Lunes	Martes	Miércoles	Jueves	Viernes	Sábado
					1 Luna Nueva	**2**
3	**4**	**5**	**6**	**7**	**8**	**9**
10	**11**	**12**	**13**	**14**	**15** Luna Llena	**16**
17	**18**	**19**	**20**	**21**	**22**	**23**
24	**25**	**26**	**27**	**28**	**29**	**30** Luna Nueva

Noviembre 1, 2024 Luna Nueva Escorpión 9°34'

Noviembre 15, 2024 Luna Llena Tauro 24°00'

Noviembre 30, 2024 Luna Nueva Sagitario 9°32'

Mejores rituales para el dinero

1,15,30 de noviembre 2024

Confecciona tu Piedra para Ganar Dinero

Necesitas:

- Tierra

- Agua Sagrada

- 7 monedas de cualquier denominación

- 7 piedras piritas

- 1 vela verde

- 1 cucharadita de canela

- 1 cucharadita de sal de mar

- 1 cucharadita de azúcar morena

- 1 cucharadita de arroz

Debes realizar este ritual bajo la luz de la Luna llena, es decir al aire libre.

Dentro de un recipiente echas el agua con la tierra de forma que se convierta en una masa espesa. Agrégale a la mezcla las cucharaditas de sal, azúcar, arroz y canela, y colocas en diferentes lugares, en medio de la masa, las 7 monedas y las 7 piritas. Mezcla de forma uniforme esta mezcla, allánala con una cuchara. Deja el recipiente bajo la luz de la Luna Llena toda la noche, y parte del siguiente día al Sol para que se seque. Una vez seca, llévala adentro de tu casa y colócale encima la vela verde encendida. No limpies esta piedra de los restos de cera. Ubícala en tu cocina, lo más cercana a una ventana.

Mejores rituales para el Amor

Todos los viernes y Lunes de Noviembre.

Espejo Mágico del Amor

Consigue un espejo de 40 a 50 cm de diámetro y píntale el marco de negro. Lavas el espejo con agua sagrada y cúbrelo con un paño negro. En la primera noche de Luna Llena lo dejas expuesto a sus rayos de forma que puedas ver el disco lunar completo en el espejo.

Pídele a la Luna que consagre este espejo para que ilumine tus deseos.

La próxima noche de Luna Llena escribes con un creyón de labios todo lo que deseas referente al amor. Especifica como quieres que sea tu pareja en todos los sentidos. Cierras los ojos y visualízate feliz y con ella. Dejas las palabras escritas hasta la mañana siguiente.

Después limpias el espejo hasta que no existan rastros de la pintura que hayas empleado, utilizando agua sagrada. Guardas de nuevo tu espejo en un lugar que nadie lo toque.

Deberás recargar el espejo tres veces al año con la energía de las Lunas Llenas para poder repetir este hechizo. Si haces esto en una hora planetaria que tenga que ver con el amor le estarás agregando un super poder a tu intención.

Hechizo para Aumentar la Pasión

Necesitas:
- *1 hoja de papel verde*
- *1 manzana verde*
- *Hilo rojo*
- *1 cuchillo*

Este ritual tiene que ser realizado un viernes a la hora del planeta Venus.

Escribes en la hoja de papel verde el nombre de tu pareja y el tuyo, y dibujas un corazón a su alrededor.

Cortas la manzana a la mitad con el cuchillo y colocas el papel entre ambas mitades.

Después amarras las mitades con el hilo rojo y haces 5 nudos.

Le vas a dar un mordisco a la manzana y tragar ese pedazo.

A medianoche vas a enterrar los restos de la manzana lo más cerca posible de la casa de tu pareja, si viven juntos la entierras en tu jardín.

Mejores rituales para la Salud

Todos los jueves de noviembre 2024

Ritual para Eliminar un dolor

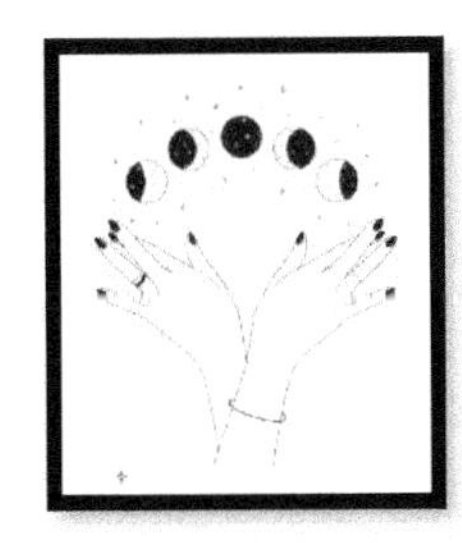

Debes acostarte boca arriba con la cabeza hacia el Norte y colocar una pirámide de color amarillo en el

bajo vientre por 10 minutos, así las dolencias desaparecerán.

Ritual para Relajarse

Debes coger una pirámide de color violeta en las manos y luego acostarte boca arriba con los ojos cerrados, mantén tu mente en blanco y respira suavemente. En ese momento sentirás que tus brazos, piernas y tórax se adormecen.

Después los sentirás más pesados, esto significa que estás totalmente relajado, este ritual genera paz y armonía.

Ritual para Tener una Vejez Saludable

Debes coger un huevo grande y pintarlo de dorado.

Cuando se seque la pintura lo colocas dentro de un círculo que harás con 7 velas (1 de color rojo, 1 de color amarillo, 1 de color verde, 1 de color rosa, 1 de color azul, 1 de color de morado, 1 de color blanco). Te sientas enfrente del círculo con la cabeza cubierta por un pañuelo blanco y enciendes las velas en sentido de las manecillas del reloj. Repites las siguientes afirmaciones mientras las enciendes:

Me estoy convirtiendo en la mejor versión de mí mismo.

Mis posibilidades son infinitas.

Tengo la libertad y el poder de crear la vida que deseo.

Elijo ser amable conmigo mismo y amarme incondicionalmente.

Hago lo que puedo, y eso es suficiente.

Cada día es una oportunidad para empezar de nuevo.

Dondequiera que esté en mi viaje es donde debo estar.

Deja que las velas se consuman.

Después enterrarás el huevo adentro de una maceta de barro y lo rellenarás con arena de playa, lo dejarás expuesto a la luz del Sol y la Luna por tres días y tres noches consecutivas.

Esta maceta la tendrás por tres años dentro de tu casa, al cabo de ese tiempo desentierras el huevo, rompes la cáscara y lo que te encuentres adentro lo dejarás en tu casa como amuleto protector.

Hechizo para Curar Enfermos de Gravedad

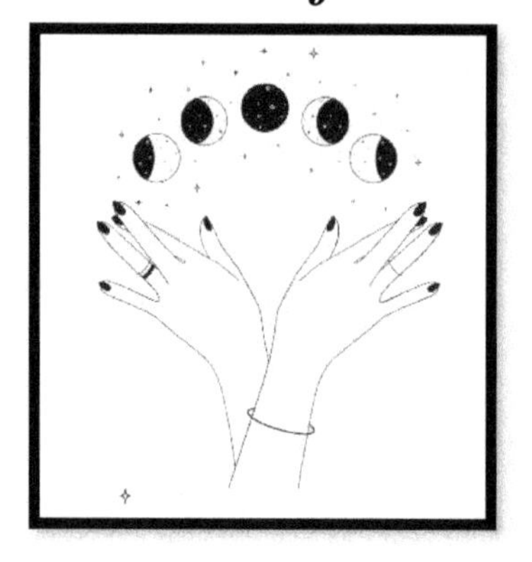

Debes colocar en un recipiente de metal el diagnóstico del doctor y una foto actual de la persona. A los lados de este colocas dos velas verdes y las enciendes.

Quema el contenido del recipiente y mientras se quema añade los cabellos de la persona.

Cuando solo haya cenizas colócalas en un sobre verde, el enfermo debe dormir con este sobre debajo de su almohada por 17 días.

Rituales para el Mes de Diciembre

Diciembre 2024

Domingo	Lunes	Martes	Miércoles	Jueves	Viernes	Sábado
1	**2**	**3**	**4**	**5**	**6**	**7**
8	**9**	**10**	**11**	**12**	**13**	**14** Luna Llena
15	**16**	**17**	**18**	**19**	**20**	**21**
22	**23**	**24**	**25**	**26**	**27**	**28**
29	**30** Luna Nueva	**31**				

Diciembre 15, 2024 Luna Llena Géminis 23°52'

Diciembre 30, 2024 Luna Nueva Capricornio 9°43'

Mejores rituales para el dinero

14,20,30, de diciembre 2024

Ritual Hindú para Atraer Dinero.

Los días perfectos para este ritual son el jueves o domingo, a la hora del planeta Venus, Júpiter o el Sol.
Necesitas:

- *Aceite esencial de ruda o albahaca*
- *1 moneda dorada*
- *1 monedero o carterita nueva*
- *1 espiga de trigo*
- *5 piritas*

Debes consagrar la moneda dorada untándole el aceite de albahaca o ruda y dedicándosela a Júpiter. Mientras la estás ungiendo repite mentalmente:

"Quiero que satures con tu energía esta moneda para que llegue la abundancia económica a mi vida".

Después le pones aceite a la espiga de trigo y se la ofreces a Júpiter pidiéndole que no falte la comida en tu hogar. Coges la moneda junto con las cinco piritas y la colocas en la carterita nueva, la misma debes enterrarla en la parte izquierda delantera de tu casa. La espiga la mantendrás en la cocina de tu casa.

Dinero y Abundancia para todos los Miembros de la Familia.

Necesitas:
- 4 recipientes de barro
- 4 pentáculos #7 de Júpiter (puedes imprimirlos)

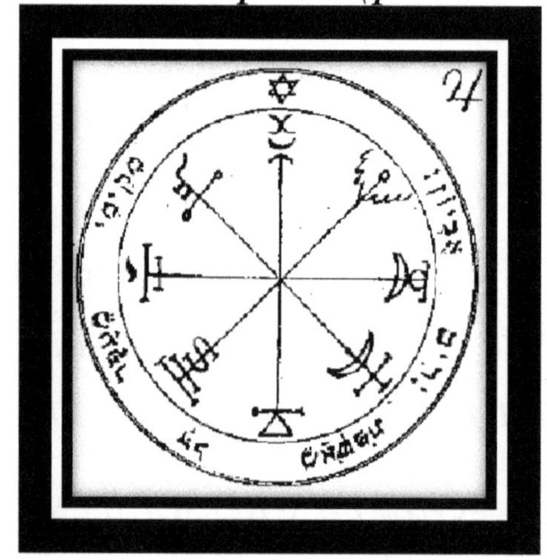

Pentáculo #7 de Júpiter.

- Miel
- 4 citrinas

Un viernes a la hora del planeta Júpiter escribes los nombres de todas las personas que viven en tu hogar en la parte de atrás del séptimo pentáculo de Júpiter.

Después colocas cada papelito en las recipientes de barro junto con las citrinas y le echas miel. Colocas las vasijas en los cuatro puntos cardinales de tu hogar. Déjalas ahí por un mes. Al cabo de este tiempo botas la miel y los pentáculos, pero conservas las citrinas en la sala de tu casa.

Mejores rituales por días para el Amor

Viernes y domingo diciembre 2024

Ritual para Convertir una Amistad en Amor

Este ritual es más poderoso si lo realizas un martes a la hora de Venus.

Necesitas:

- 1 Foto de la persona que amas de cuerpo entero
- 1 espejo chiquito
- 7 cabellos tuyos
- 7 gotas de tu sangre
- 1 vela roja en forma de pirámide
- 1 bolsita dorada

Derramas sobre el espejo las gotas de tu sangre, colocas los cabellos arriba y esperas a que se seque. Pones la fotografía arriba del espejo (cuando la sangre esté seca).

Enciendes la vela y la sitúas a la derecha del espejo, te concentras y repites:

"Estamos unidos para siempre por el poder de mi sangre y el poder de (nombre de la persona que amas) el amor que siento por ti. La amistad termina, pero comienza el amor eterno".

Cuando la vela se consuma debes colocarlo todo dentro de la bolsa dorada y botarlo en el mar.

Hechizo Germánico de Amor

Este hechizo es más efectivo si lo realizas en la fase de Luna Llena a las 11:59 pm de la noche.

Necesitas:
- *1 fotografía de la persona que amas*
- *1 fotografía tuya*
- *1 Corazón de paloma blanca*
- *13 pétalos de girasol*
- *3 alfileres*
- *1 vela rosada*
- *1 vela azul*
- *1 aguja de coser nueva*
- *Azúcar morena*
- *Canela en polvo*
- *1 tabla*

Colocas las fotografías encima de la tabla, arriba le pones el corazón y le clavas los tres alfileres. Las rodeas con los pétalos de girasol y colocas la vela rosada a la izquierda y la vela azul a la derecha y las enciendes en ese mismo orden.

Te pinchas tu dedo índice de la mano izquierda y dejas caer tres gotas de sangre encima del corazón. Mientras está cayendo la sangre repites tres veces: "Por el poder de la sangre tú (nombre de la persona) me perteneces".

Cuando las velas se consuman entierras todo y antes de cerrar el hoyo le pones canela en polvo y azúcar morena.

Hechizo de la Venganza

Necesitas:
- *1 piedra de rio*
- *Pimienta roja*
- *Fotografía de la persona que te robó tu amor*
- *1 maceta*
- *Tierra de cementerio*
- *1 vela negra*

Debes escribir por detrás de la foto el siguiente conjuro: "Por el poder de la venganza te prometo que me pagarás y no volverás a hacer daño a nadie, quedas cancelado

(nombre de la persona)".

Después colocas la foto de la persona en el fondo de la maceta y le pones la piedra encima, le echas la tierra de cementerio y la pimienta roja, en este orden.

Enciendes la vela negra y repites el mismo conjuro que escribiste detrás de la foto. Cuando la vela se consuma bótala en la basura y la maceta la dejas en un lugar que sea un monte.

Mejores rituales para la Salud

Cualquier jueves de diciembre 2024

Parrilla Cristalina para la Salud

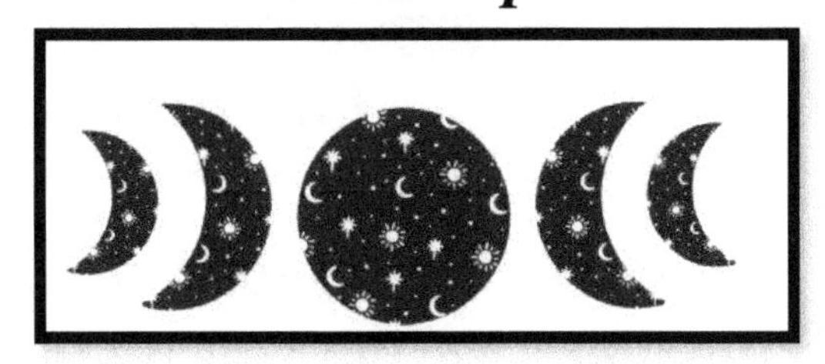

*El primer paso es decidir qué objetivo buscas que se manifieste. Escribirás en un pedazo de papel tus deseos en referencia a tu salud, siempre en presente, no deben contener la palabra **NO.** Un ejemplo sería "Tengo una salud perfecta"*

Elementos Necesarios.

- 1 Cuarzo amatista grande (el foco)

- 4 Larimar
- 4 cuarzos cornalina chiquitos
- 6 cuarzos ojo de tigre
- 4 citrinas
- 1 Figura geométrica de la Flor de la vida
- 1 Punta de cuarzo blanco activar la rejilla

Flor de la Vida.

Estos cuarzos debes limpiarlos antes del ritual para purificar tus piedras de las energías que pudieran haber absorbido antes de llegar a tus manos, la sal marina es la mejor opción. Déjalas con sal marina durante toda la noche. Al sacarlos puedes también encender un palo santo y ahumarlos para potenciar el proceso de purificación.

Los patrones geométricos nos ayudan a visualizar mejor como las energías se conectan entre los nodos; los nodos son los puntos decisivos en la geometría, son las posiciones estratégicas donde colocarás los cristales, de manera que sus energías interactúen entre si creando corrientes energéticas de altas vibraciones, (como si fuera un circuito) las cuales podemos desviar hacia nuestra intención.

Vas a buscar un lugar tranquilo ya que cuando trabajamos con tramas cristalinas estamos trabajando con energías universales.

Vas a tomar una por una las piedras y las vas a colocar en tu mano izquierda, la cual tendrás en forma de cuenco, la tapas con la derecha y en voz alta repite los nombres de los símbolos de reiki: Cho Ku Rei, Sei He Ki, Hon Sha Ze Sho Nen y Dai Ko Mio, tres veces consecutivas cada uno.

Esto lo harás para darle energía a tus piedras.

*Doblas tu papelito y lo colocas en el centro de la red. Le ubicas el cuarzo amatista grande arriba, esta piedra del centro es el foco, las otras las sitúas como está en el *ejemplo.*

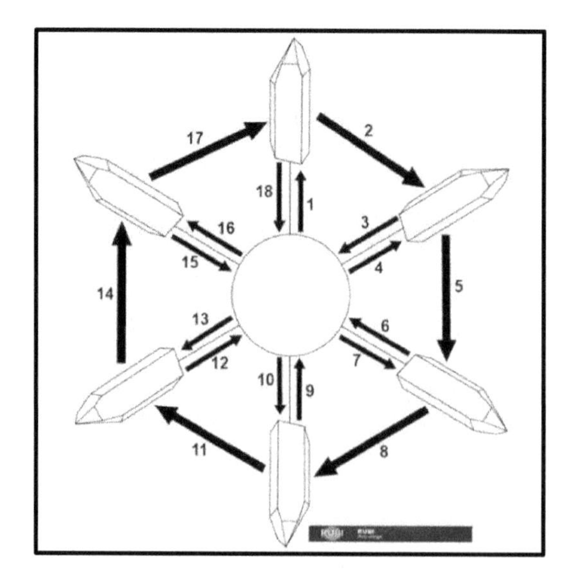

Las vas a conectar con la punta de cuarzo, empezando por el foco en forma circular a favor de las manecillas del reloj.

Cuando hayas configurado la parrilla déjala en un área donde nadie la pueda tocar. Cada varios días debes volverla a conectar, es decir activarla con la punta de cuarzo, visualizando en tu mente lo que escribiste en el papel.

Acerca de los Autoras

Además de sus conocimientos astrológicos, Alina A. Rubi tiene una educación profesional abundante; posee certificaciones en Sicología, Hipnosis, Reiki, Sanación Bioenergética con Cristales, Sanación Angelical, Interpretación de Sueños y es Instructora Espiritual. Rubi posee conocimientos de Gemología, los cuales usa para programar las piedras o minerales y convertirlos en poderosos Amuletos o Talismanes de protección.

Rubi posee un carácter práctico y orientado a los resultados, lo cual le ha permitido tener una visión especial e integradora de varios mundos, facilitándole las soluciones a problemas específicos. Alina escribe los Horóscopos Mensuales para la página de internet de la American Asociation of Astrologers, Ud. puede leerlos en el sitio www.astrologers.com. En este momento escribe semanalmente una columna en el diario El Nuevo Herald sobre temas espirituales, publicada todos los domingos en forma digital y los lunes en el impreso. También tiene un programa y el Horóscopo semanal en el canal de YouTube de este periódico. Su Anuario Astrológico se publica todos los años en el periódico "Diario las Américas", bajo la columna Rubi Astrologa.

Rubi ha escrito varios artículos sobre astrología para la publicación mensual "Today's Astrologer", ha impartido clases de Astrología, Tarot, Lectura de las manos, Sanación con Cristales, y Esoterismo. Tiene videos semanales sobre temas esotéricos en su canal de YouTube: Rubi Astrologa. Tuvo su propio programa de Astrología trasmitido diariamente a través de Flamingo T.V., ha sido entrevistada por varios programas de T.V. y radio, y todos los años se publica su "Anuario Astrológico" con el horóscopo signo por signo, y otros temas místicos interesantes.

Es la autora de los libros "Arroz y Frijoles para el Alma" Parte I, II, y III, una compilación de artículos esotéricos, publicada en los idiomas inglés, español, francés, italiano y portugués. "Dinero para Todos los Bolsillos", "Amor para todos los Corazones", "Salud para Todos los Cuerpos, Anuario Astrológico 2021, Horóscopo 2022, Rituales y Hechizos para el Éxito en el 2022, Hechizos y Secretos, Clases de Astrología, Rituales y Amuletos 2024 y Horóscopo Chino 2024 todos disponibles en cinco idiomas: inglés, italiano, francés, japonés y alemán.

Rubi habla inglés y español perfectamente, combina todos sus talentos y conocimientos en sus lecturas. Actualmente reside en Miami, Florida.

Para más información pueden ***visitar el website*** ***www.esoterismomagia.com***

Alina A. Rubi es la hija de Alina Rubi. Actualmente estudia psicología en la Universidad Internacional de la Florida.

Desde niña se interesó en todos los temas metafísicos, esotéricos, y práctica la astrología, y Kabbalah desde los cuatro años. Posee conocimientos del Tarot, Reiki y Gemología. No solo es autora, sino editora juntamente con su hermana Angeline A. Rubi, de todos los libros publicados por ella y su mamá.

Para más información pueden contactarla por email: ***rubiediciones29@gmail.com***

Milton Keynes UK
Ingram Content Group UK Ltd.
UKHW051033221123
433051UK00018B/776